ଔ **S0-AKL-321**

LA TÍA TULA

LITERATURA

ESPASA CALPE

MIGUEL DE UNAMUNO

LA TÍA TULA

Introducción
Anna Caballé

COLECCIÓN AUSTRAL

ESPASA CALPE

Primera edición: 10-VI-1940
Decimonovena edición: 27-VII-1992

© *Herederos de Miguel de Unamuno*

© *De esta edición: Espasa-Calpe, S. A.*

—

Maqueta de cubierta: Enric Satué

—

Depósito legal: M. 24.642—1992

ISBN 84—239—1944—7

Impreso en España
Printed in Spain

Talleres gráficos de la Editorial Espasa-Calpe, S. A.
Carretera de Irún, km. 12,200. 28049 Madrid

ÍNDICE

INTRODUCCIÓN

Tal vez sea LA TÍA TULA el título más conocido de don Miguel de Unamuno, superior incluso en celebridad y en memoria colectiva —gracias en parte al cine que la popularizó [1]— a las novelas más frecuentadas por los escolares, esto es, *Niebla* y *San Manuel Bueno, mártir*.

Sin embargo, cuando se publicó por vez primera en 1921, en la editorial madrileña Renacimiento, alcanzó escasa resonancia si hemos de creer al autor que, en carta al profesor puertorriqueño José A. Balseiro, fechada en Hendaya el 18 de enero de 1928, escribe: *«La Tía Tula,* que pasó inadvertida en España es uno de mis mejores éxitos en Alemania, Holanda y Suecia»* [2]. Unamuno se mostraba convencido de disfru-

---

[1] La versión cinematográfica se debió a Miguel Picazo y fue premiada en el Festival Internacional de San Sebastián. Véase la *Historia del cine español,* de Fernando Méndez Leite, Madrid, Rialp, 1965, vol. II, págs. 671-672. La adaptación de la novela corrió a cargo de José Miguel Hernán, Luis Enciso, Manuel López Yubero y el propio Miguel Picazo (Madrid, Carmen Moreno, impr., 1963): véase *Revista Nuestro Cine,* núms. 25 y 26.

[2] Cfr. *Obras Completas* de M. de U., editadas por su discípulo Manuel García Blanco, Barcelona, Afrodisio Aguado, 1958, tomo XV, pág. 825. José Agustín Balseiro es autor del primer ensayo sobre la obra de don Miguel que se incluye en la segunda edición de *El Vigía* (Madrid, 1928); estudio del que Unamuno

tar de mayor popularidad y acogida intelectual en
Latinoamérica que en España: tal vez por sus colabo-
raciones periódicas y frecuentes en *La Nación* de
Buenos Aires, y después en *Caras y caretas* [3], lo que,
desde luego, le proporcionó un buen número de lec-
tores en Argentina y aledaños. La idea de que sus
obras se vendieran mejor al otro lado del Atlántico
podría, sin embargo, constituir una falsa impresión,
como reconoce el propio Unamuno: «aquí y allí el
libro español, como no sea escandalosa y torpemente
pornográfico o de una solemne ramplonería castizo-
sentimental, es de una difusión lentísima» [4]. Lo dice
en un artículo fechado el 5 de mayo de 1923. Sin
embargo, unos meses más tarde vuelve sobre ello
para comentar: «Dos novelas mías han septuplicado
la venta, y son *Abel Sánchez* y *La Tía Tula*. El que
estas dos de mis obras hayan adquirido desde marzo
último siete veces mayor difusión creo se debe a que
apenas si fueron atendidas, de mi público se entiende,
antes.

»Había quien se imaginaba que la segunda de ellas
sería una disertación en forma novelesca, un argumento ideado para insertar ensayos. Pero me consta
que mucha de su difusión actual se la debo a la pro-

---

discrepará en ocasiones. V. gr., le irrita que Balseiro proceda a una
clasificación de la obra unamuniana escrita hasta la fecha, situan-
do *La tía Tula* en cuarto lugar, después de *Abel Sánchez, Niebla* y
Nada menos que todo un hombre: «Yo no me atrevería —le recon-
vendrá— a ordenar las obras de un autor de mi gusto» (*O.C.*, XV,
pág. 829).
    [3] El 19 de mayo de 1899 publica don Miguel el primero de sus
artículos, conocidos, en *La Nación,* dirigido a Rubén Darío y que
trata «sobre la literatura hispanoamericana». Sin embargo, su
colaboración regular con el diario data de septiembre de 1906 y se
prolongará hasta 1919 (cfr. M. de U., *Desde el mirador de la
guerra.* Textos nuevos recogidos y presentados por Louis Urrutia,
París, Centre de Recherches Hispaniques, 1970).
    [4] M. de U., *Mi vida y otros recuerdos personales,* ed. de
M. García Blanco, Buenos Aires, Losada, vol. II, pág. 95.

paganda de lectoras, de mujeres que me leen y que saben qué es eso de feminismo» [5].

Me pregunto cuántas veces no se ha hecho semejante reflexión: desde la *Cárcel de amor* hasta los folletones decimonónicos o la novela española más reciente, apelar a un público lector exclusivamente femenino, y todavía mal estudiado, ha venido bien para explicar las sístoles y diástoles de la recepción literaria.

Por fortuna, Unamuno no sufría ningún embarazo en hablar de sus relaciones con el mundo editorial y de la acogida que pudiera tener su obra, siempre seguida de cerca por el escritor. Sea como sea, los libros no siempre tienen trayectorias fáciles y puede que la publicación de LA TÍA TULA (que no llegó a reeditarse en vida de Unamuno) quedara ofuscada por otras obras del escritor vasco de mayor acierto argumental o de contenido polémico: es el caso de *Niebla* (1914, 1928, 1935) o de *Tres novelas ejemplares y un prólogo* (1920, 1931, 1936). Aunque muy pronto el texto que nos ocupa se tradujera al holandés (1926), al sueco (1927) y al alemán (1928) [6].

A partir de 1940 las ediciones (en esta misma Colección Austral) se suceden hasta ahora mismo. Y es que LA TÍA TULA ha ido imponiéndose en medio de su, aparente, sencillez expositiva a medida que se ha ido iluminando la dimensión psicológica y vital, trágica si se quiere, incluso política, de su personaje principal, *la tía*. *La tía*: así pensaba titular Unamuno su novela, cuando la gestaba, en 1902, según una carta a su amigo, el también escritor y poeta Joan Maragall, fechada el 3 de noviembre y en la que escribe:

[5]   M. de U., «De economía literaria», en *Mi vida y otros recuerdos personales,* op. cit., págs. 144-145.
[6]   Datos extraídos del *Manual del Librero Hispanoamericano,* de Antonio Palau y Dulcet, XXIV, Barcelona, Antonio Palau Dulcet, Oxford, The Dolphin Book, 1972, págs. 318-319.

«Ahora ando metido en una nueva novela, *La tía,* historia de una joven que rechazando novios se queda soltera para cuidar a unos sobrinos, hijos de una hermana que se le muere. Vive con el cuñado, a quien rechaza para marido, pues no quiere *manchar* con el débito conyugal el recinto en que respiran aire de castidad sus *hijos.* Satisfecho el instinto de maternidad, ¿para qué ha de perder su virginidad? Es virgen madre. Conozco el caso» [7].

Y en ella sigue trabajando años después, según consta por las cartas dirigidas a otro catalán, el polifacético Santiago Valentí Camp (fechadas en 1904) y a Eduardo Marquina (5 de mayo de 1905). Hasta 1919, aproximadamente, pues en una carta de 15 de enero de 1920 dirigida a Francisco de Cossío, Unamuno le informa de que ha empezado ya a corregir las pruebas de su novela LA TÍA TULA, «muy ampliada, corregida, enriquecida e intensificada» desde que la leyera su hermano José María «casi en boceto» [8].

La novela, pues, fue creciendo, incubándose, a partir de una idea seminal, la Virgen Madre, corporeizada en la figura de una gran Tía maternal y, al mismo tiempo, austera y dominante. El texto definitivo trata de una mujer que por circunstancias de la vida (habrá que reparar en dichas circunstancias y en lo poco casuales que resultan) se hace cargo de los sobrinos huérfanos de madre y mantiene la continui-

---

[7]   *Epistolario entre Miguel de Unamuno y Juan Maragall y escritos complementarios,* Barcelona, Edimar, S. A., 1951, páginas 13-14.

[8]   Véase el prólogo de M. García Blanco al volumen IX de las *O.C.,* op. cit., pág. 33. Sobre la lenta gestación del manuscrito véase un artículo esclarecedor de Geoffrey Ribbans: «El autógrafo de parte de *La tía Tula* y su significado para la evolución de la novela» en el *Volumen-Homenaje a Miguel de Unamuno,* publicado bajo la dirección de D. Gómez Molleda, directora de la Casa-Museo Unamuno, Salamanca, 1986, págs. 475-493.

dad de la familia hasta su muerte, e incluso más allá, a través de una ahijada suya, Manuelita: el vivo retrato, como suele decirse, de su tía (putativa) Gertrudis. Pero, con los años, la materia narrativa se enriqueció notablemente, como veremos.

Conozco el caso, había escrito Unamuno a Maragall. Y el caso, efectivamente, es común: la tía, de tantas familias españolas. Como pueda ser común el caso planteado en *San Manuel Bueno, mártir* por el escritor al presentarnos a un clérigo profundamente escindido, entristecido, en su interior por la pérdida de la fe religiosa, pero que, pese a ello, sigue actuando como si eso no hubiera ocurrido nunca, a fuerza de voluntad. La voluntad: he ahí el término clave, del que arranca la literatura unamuniana.

No obstante, poco o nada tiene que ver la tía que cualquiera de nosotros ha tenido ocasión de tratar más o menos de cerca, con el personaje de Gertrudis. Porque la primera, las tías reales de otro tiempo, solían sumarse a una familia ya fundada, para adaptarse, con mayor o menor facilidad, según carácter, a una vida que no era la propia y en la que tenían, por lo general, escasas posibilidades de decisión y dominio[9]. Tula, por el contrario, se presenta al lector —prescindamos del ropaje de sacrificio y abnegación con que se envuelve— como una mujer implacable en su voluntad de someter a los otros por el simple, pero eficaz, procedimiento de adueñarse de sus destinos.

REALISMO FRENTE A IDEALISMO

El arranque de la novela responde a un planteamiento narrativo naturalista —«conozco el caso»...— aunque despojado de cuanto pudiera distraer al

---

[9]   Es sugerencia que debo al excelente, y ya clásico, estudio de Ricardo Gullón, *Autobiografías de Unamuno,* Madrid, Gredos, 1976, págs. 206 y sigs.

valores dramáticos que se le proponen.
...o de dichos valores hallamos un *pathos*
.... .omprometido con el romanticismo de la
mejor especie, evidente, por ejemplo, en las descripciones que se refieren a Tula: «ella era como un cofre
cerrado y sellado en que se adivina un tesoro de
ternuras y delicias secretas»; en los pasajes en que se
habla de sus expresivos, temperamentales ojos: «ojazos mejor, tristes, firmes y abrasantes» (sí, pero nos
preguntamos de qué color serían) o bien en la espiritualidad descriptiva y sobrecogedora de algunas
escenas:

> «Ramiro se fue. Gertrudis tomó a su sobrinillo,
> que no hacía sino gemir; encerróse con él en un
> cuarto y sacando uno de sus pechos secos, uno de sus
> pechos de doncella, que arrebolado todo él le retem-
> blaba como con fiebre, le retemblaba por los latidos
> del corazón —era el derecho—, puso el botón de ese
> pecho en la flor sonrosada pálida de la boca del
> pequeñuelo. Y éste gemía más estrujando entre sus
> pálidos labios el conmovido pezón seco» (pág. 77).

Los sentimientos, como puede apreciarse, están
violentamente definidos (o no se definirán en absoluto), y todo cuanto importa a la narración se describe,
por lo general, en términos —nombres, verbos, ad-
verbios— desmesurados, tremendos, y un tanto abis-
males: románticos en una palabra [10].
Unamuno había discutido, además, la idea fundamental de la novela con otros escritores. Con Emilia
Pardo Bazán, por ejemplo, según evoca el propio don
Miguel poco después de fallecer la escritora gallega
en un artículo fechado el 27 de mayo de 1921:

> ...«recuerdo cuando hace ya años le hablé del
> asunto y argumento que he desarrollado luego en mi

---

[10]   Cfr. Armando F. Zubizarreta, *Unamuno en su nivola,* Madrid, Taurus, 1960, págs. 124 y sigs.

última novela *La Tía Tula* y lo que de ello me dijo y la discusión de etnología feminista o de feminismo etnológico en que con tal motivo nos enzarzamos» [11].

Unamuno se refiere a la cuestión de la maternidad virginal o de la virginidad maternal, pues ambas cosas le preocupan. Y el lector hará bien en no confundirlas, pues en una de ellas se inspira el rector de Salamanca para su obra. Es en *Cómo se hace una novela* (Buenos Aires, 1927) donde hallamos la clave del *caso* que le había inspirado la historia de Tula. En cierto pasaje de *Cómo se hace una novela,* Unamuno recuerda una de sus crisis religiosas y el momento del estallido de la crisis, «momento de suprema, de abismática congoja». Y recuerda a su mujer, Concha Lizárraga: «cuando me vio en las garras del Ángel de la Nada, llorar con un llanto sobrehumano, me gritó desde el fondo de sus entrañas maternales, sobrehumanas, divinas, arrojándose en mis brazos: ¡hijo mío! Entonces descubrí todo lo que Dios hizo para mí en esta mujer, la madre de mis hijos, mi virgen madre» [12].

La crisis, sufrida una noche de marzo de 1897, es un episodio sumamente conocido y analizado por la crítica unamuniana, pues a la causa fisiológica que la motivó —una neurosis cardíaca de la que morirá, repentinamente, en 1936— se sumó una atroz experiencia espiritual que determina la futura orientación de sus escritos. Desde entonces será habitual en la obra de don Miguel, tan proclive a emplear un

---

[11] M. de U., *Mi vida y otros recuerdos personales,* ed. de M. García Blanco, Buenos Aires, Losada, 1959, vol. II, páginas 68-70. El pasaje se incluye también en el volumen IX de las *O.C.* antes citado, pág. 34.

[12] M. de U., *Cómo se hace una novela,* vol. X de las *O.C., op. cit.,* pág. 885.

La anécdota se repite, con otras palabras, en carta a Juan Maragall de 15 de febrero de 1907 (véase *Epistolario, op. cit.,* página 56), lo que da idea de la repercusión que ejerció en su espíritu.

vocabulario religioso, hallar referencias a su mujer
como la madre de sus ocho hijos y, también, su
verdadera madre, según dice. Y fácilmente el escritor
vasco podrá alterar la índole de la cualidad, que de
una maternidad virginal entrevista en su propia espo-
sa se transformará en virginidad maternal en la
novela que nos ocupa: simple desplazamiento del
énfasis verbal.

La dicotomía caracterológica y vital se presenta en
LA TÍA TULA con toda nitidez: a un lado, el tesón de
Tula, su sed de maternidad (¿inmortalidad?), pero
también su ansia de pureza, de mantenerse incólume
en letra y espíritu. Esto último refleja una preocupación íntima que el escritor no hace más que proyectar
en su personaje de ficción como un exorcismo: «Tengo que vivir en el mundo y en él ¿no puede alcanzarse
la perfección ascética?, se interroga Unamuno en su
Diario. «La de la intención y el deseo sí», responde [13].
Al otro lado, unos seres débiles: Rosa, Ramiro,
Manuela, don Primitivo... cuya existencia crepuscu-
lar, sus vidas empobrecidas logran recuperar su sentido una vez muertas ya, por el vacío que dejan en el
alma de Gertrudis. Todos mueren, además, sin ofre-
cer resistencia alguna, más bien como una lenta
consunción que se produce en el interior de sí mismos.

Tula es el arquetipo del *agonista* unamuniano, es
decir, del ser que lucha, que ejerce su voluntad de ser,
frente a los *noluntaristas* o héroes del querer no ser,
distinto del no querer ser en la medida en que este
último, al no poseer una voluntad de ser, no puede
alcanzar existencia literaria [14]. Del conflicto entre
ambas fuerzas nace la novela de Unamuno, reflejo

---

[13]   M. de U., *Diario íntimo,* Madrid, Alianza Editorial, 1970,
pág. 65.
[14]   Cfr. el prólogo de M. de U. a sus *Tres novelas ejemplares y
un prólogo,* Madrid, Espasa-Calpe, 1941, pág. 15.

schopenhauriano del perpetuo combate de la vida, donde cada ser intenta, por todos los medios a su alcance, someter a los otros: «donde alienta un viviente allí hay otro para devorarlo», había sentenciado Schopenhauer en su ensayo *Sobre la voluntad en la naturaleza* [15]. Y algo de eso ocurre en los capítulos finales de la novela, cuando, después de la muerte de Tula, y pese a los esfuerzos de su ahijada y sucesora, Manuelita, por preservar la unidad familiar, afloran a la superficie las divisiones intestinas, las alianzas y enemistades entre los hermanos, formándose dos grupos que, cada uno por su lado, buscan socavar la convivencia de todos. Aunque la familia tenga un valor nuclear (y en ello se insistirá a menudo) y, por eso mismo, se halle al abrigo y muy por encima de esas tensiones domésticas. Dicho en otras palabras, sobrevive siempre.

En ese sentido, se ha dicho ya repetidamente que Unamuno, feroz individualista, admitía tan sólo como legítima la estructura familiar; rechazaba en cambio todo tipo de agrupaciones sociales que rebasaran los límites impuestos por el ser humano individual. Y la firmeza de esa institución atávica se cimenta, para nuestro escritor, en las nociones convencionales: el carácter sacramental del matrimonio, la tácita aceptación de una estructura jerárquica y la cohesión endogámica entre sus miembros que supone un muro de protección y consuelo frente a las incertidumbres del mundo, o de una vida solitaria. Unamuno es consciente de que la familia es asimismo un factor esencial en la *domesticidad* del ser humano, sin la cual no es posible hablar de civilización: véase en el prólogo que sigue, donde Unamuno se pregunta «¿Caben civilidad y civilización donde no tienen co-

---

[15] Arthur Schopenhauer, *Sobre la voluntad en la naturaleza* (1836). Cito el libro por la traducción del propio Unamuno: Madrid, Alianza Editorial, 1970, págs. 93-94.

mo cimientos domesticidad y domesticación?» (página 45). La civilidad pues, en Unamuno, arranca de la domesticidad (con lo que el concepto implica de docilidad y hasta sometimiento) y esta última es sostenida fundamentalmente por las mujeres: la influencia del sistema matriarcal vivido en la niñez parece tan decisivo como limitado.

Claro que pese a la «unidad fundamental y culminante» de la familia, según cree nuestro autor, los problemas existen (rivalidades entre hermanos, por ejemplo) y el talento de Unamuno consiste en no evadirse de ellos, lo que constituiría un reduccionismo simplista y poco convincente de la realidad, ofreciéndole al lector una experiencia moral poliédrica y, por ello, ambivalente: las tensiones y ambigüedades se incorporan a la narración escueta, escuetísima, de los hechos, ahondándolos. De manera que todo es inseguro y en el fondo incognoscible. Veámoslo con Gertrudis.

PROFUNDIZANDO EN LA PERSONALIDAD

Unamuno, decíamos, va facilitando al lector niveles cada vez más profundos de la personalidad de su protagonista, aunque desde la primera página afloren los rasgos fundamentales de su carácter: la reserva —entre innata y adquirida, porque de todo hay— y la voluntad. Su voluntad, decíamos, se basta a sí misma para fundar y explicar la personalidad de Tula: así, quiere ser madre y lo es y acostumbrará a rubricar sus opiniones con un «es así y basta» o con frases de ese estilo que se imponen al interlocutor con la fuerza de las convicciones. Ya sea don Primitivo, Rosa, Ramiro... incluso el padre Álvarez, su confesor, se siente impresionado por la forma de expresarse de Tula, reflejo, en suma, de una conciencia agudizada por la intencionalidad de sus palabras. El narrador insiste en que a sus desvelos se debe la unidad de la familia, pues consigue sacarla (espiritualmente) a flote pese a las contrariedades que van sucediéndose. Sin embargo, el novelista no resiste advertir al lector de que es consciente también de la cara oculta del sacrificio: Gertrudis, en efecto, ha mantenido vivo el espíritu familiar, pero, asimismo, a ella se deben las disensiones que existen en su interior y que podían haberse evitado con un comportamiento más flexible y menos inhumano por su parte. Y ello queda reflejado en un rasgo tan minúsculo como elocuente: a su muerte, sus sobrinos a los que ella llamaba hijos una y otra vez e insistía (para asombro de Ramiro) en que la llamaran madre (o mamá) no la nombrarán en adelante sino como la Tía (cfr. p. 157), tratamiento que sugiere tanta familiaridad como distanciamiento. Y de ese alejamiento que implica es responsable la propia Gertrudis pese a los desvelos por sus sobrinos.

Que nuestro personaje no se conmueve fácilmente lo prueba el pasaje en que su hermana Rosa, a punto de dar a luz su primer hijo, corre peligro de muerte. El médico plantea la situación de salvar la vida de la madre o de la criatura, a lo que Gertrudis reacciona contundentemente:

> «—¿Muerta? —exclamó Gertrudis—; ¡eso sí que no!
>
> —¿Pero no ve usted —exclamó el médico— que aunque se muera el crío queda la madre para hacer otros, mientras que si se muere ella no es lo mismo?
>
> Pasó rápidamente por el magín de Gertrudis replicarle que quedaban otras madres, pero se contuvo e insistió:
>
> —Muerta, ¡no!, ¡nunca! Y hay, además, que salvar un alma» (pág. 65).

Curiosa reacción a la que siguen, cuando el peligro ha pasado, las mayores muestras de solicitud hacia

Rosa. La distancia afectiva y moral de la primera con la segunda queda, en esta escena, fuera de toda duda: le va a proporcionar el hijo que desea y que su doble condición de soltera y virgen le impide tener por sí misma, de modo que cuanto suceda con la madre después (y al mismo tiempo su hermana) es de relativa importancia. El pasaje recuerda otro relato de Unamuno, *Dos madres,* escrito por los mismos años y de planteamiento, en conjunto, similar. Puede que Raquel, la protagonista de esta novela «ejemplar» publicada en 1917, resulte un personaje más descarnado en su «furiosa hambre de maternidad», un embrión, en fin, de la Tula de 1920. Pero ambas tienen en común el actuar como instigadores de una trama que sólo a ellas beneficia: hay pasajes incluso en los que las dos narraciones coinciden literalmente. Por ejemplo, cuando Tula reprocha a Rosa que «el matrimonio se instituyó para casar, dar gracias a los casados y que críen hijos para el cielo». La frase del Catecismo del P. Astete la esgrime también la estéril Raquel para rechazar a su amante, el «pobre don Juan», como marido. En cambio, lo empujará a casarse con otra mujer a cambio de adueñarse después del fruto de los esposos, los hijos.

Los hijos. Esta es la obsesión de esas dos mujeres que, por otra parte, desprecian olímpicamente al hombre: un ser generalmente brutal, o apocado, y sometido por la llamada de la carne, si bien necesario como *potencia reproductiva,* al que ellas tratan con compasión (nunca exenta, en el fondo, de desprecio) y con dominio absoluto. Eso las hace conscientes de su superioridad, y también de la soledad que aquélla, inevitablemente, comporta: «Vivimos solas, te he dicho. Las mujeres vivimos siempre solas», le advertirá Gertrudis a Rosa antes de que ésta se case, aunque Rosa no alcance a comprender el significado de esta soledad a la que se refiere Tula y que nuestra protagonista manifestará en otras ocasiones a lo largo de la novela, pues forma parte de su destino arquetípico.

Tal vez no andemos lejos de una concepción, peculiar desde luego, de la super-mujer o *ueberweib* al estilo unamuniano, esto es, la hembra entregada a la sed de infinito, a una realidad salvadora, a través de la maternidad. Único medio, salvo el amor, de vivir en otro, de ser otro, de eternizarse en otro. Que Gertrudis, o Raquel, se vean impedidas para ser madres resulta un obstáculo circunstancial que aviva su hambre maternal. No es más que un desafío para estas luchadoras acostumbradas a doblegar la voluntad ajena y a enfrentarse con naturalidad a las convenciones sociales si les son contrarias.

Sin embargo, Unamuno no logró interesarse nunca por cuestiones relacionadas con el feminismo: «Tengo de la mujer —escribe a su amigo Santiago Valentí Camp— y del matrimonio la idea más puritana posible, y en algo casi medio-eval; lo erótico no me interesa y en la mujer veo sobre todo, como Goethe, una *bonne ménagère*. La mujer de su casa, hacendosa y *remengada* (que dicen en mi país) es la que más aprecio [...]. Tal vez logre alguien sacudir mi temperamento y hacer que me interese en ello. Respecto a la mujer no estoy lejos de opinar como Schopenhauer y Nietzsche. ¿Cómo ve usted "Maximina" de Palacio Valdés? Pues ésa me parece la mujer modelo» [16].

No es extraño que el catedrático salmantino polemizara con doña Emilia sobre la cuestión; con todo, es preciso reconocer que sus ideas sobre la emancipación de la mujer no resultaban del todo extemporáneas en 1901 (año de la carta), a pesar del sufragismo y de los avances de la sociedad industrial. Es sabido que tanto Schopenhauer como, después, Nietzsche

---

[16] Véase *Unamuno y sus amigos catalanes,* de José Tarín Iglesias (Barcelona, Peñíscola, 1966), que incluye una colección de veintisiete cartas de Unamuno a Valentí Camp. La cita es de la página 129.

sostendrán opiniones muy negativas sobre la naturaleza femenina, de modo que no hay dudas respecto de
la posición ideológica, sorprendentemente inerte, de
don Miguel, incapaz de trascender la visión general
que subordinaba la mujer a una sola función prevale-
ciente: «Todo en la mujer es un enigma —dejó dicho
Zarathustra—, con una solución única: se llama
"embarazo". El hombre es un simple medio para la
mujer; el fin es siempre el hijo»[17].

Un peculiar concepto de mujer

El pensamiento de Unamuno sobre la cuestión, de
clara filiación nietzscheana, no se contradice con la
superioridad de Tula que nos propone el escritor en
la novela, pues tal superioridad se manifiesta tan sólo
en aquellas cualidades que pueden considerarse específicamente femeninas: maternidad y virginidad. Por
lo demás, Tula resultará una excelente *menagère*[18].

La maternidad se convierte, pues, en el referente
central de su tratamiento del ser femenino. Como
bien subraya Gonzalo Navajas en su análisis de
Tula[19], para Unamuno las mujeres son, ante todo,
madres y esa cualidad adquiere en la obra del rector
salmantino un carácter metafísico que enlaza con el
ansia de eternismo que experimentaba el propio escritor y al que antes nos referíamos. Claro que su

---

[17] Friedrich Nietzsche, *Así habló Zarathustra* («De las viejas y
las jóvenes»), ed. de J. C. García Borrón, Barcelona, Bruguera,
1974, pág. 105.

[18] *Menagère*. Un término frecuente en el vocabulario de la
época: sobre 1910 se crea, por ejemplo, en Barcelona, la primera
escuela *menagère,* donde se ofrecerá a la mujer (menestral, fundamentalmente) la posibilidad de adquirir un ligero barniz cultural.

[19] *Bipolaridad y síntesis ficcional. Una lectura posmoderna,*
Barcelona, PPU, 1988, págs. 116 y sigs., centradas en el análisis de
Tula.

visión implica un rechazo de la sexualidad femenina (también de la masculina), pero es que a Unamuno la sexualidad no le interesa poco ni mucho; la ve como un reduccionismo del ser humano, un *ceder a la carne* que se opone frontalmente al ascetismo estético y moral, tan defendido por Schopenhauer y que, por varias razones, constituye el ideal unamuniano.

La sexualidad puede no interesar, también silenciarse como hace Unamuno, pero no por ello dejará, de un modo u otro, de manifestarse en el individuo. Y así, la compleja *santidad* de Tula es un ejemplo de que la negación sexual produce seres cuyas elevadas cualidades pueden fundarse en motivos inconfesables [20]. Efectivamente, bajo la capacidad de sacrificio y abnegación de nuestra protagonista late su impulso frustrado hacia Ramiro. Así lo reconoce la propia Tula, con el vislumbre de la muerte en el horizonte, en su conversación con el padre Álvarez cuando se ve tentada de reunir a sus sobrinos y confesarles que toda su vida ha sido una mentira, una equivocación, un fracaso... En el fondo, un acto de soberbia:

«—Usted se calumnia, señora. Ésa no es usted, usted es la otra..., la que todos conocemos..., la tía Tula...
—Yo le hice desgraciado, padre; yo le hice caer dos veces: una con mi hermana, otra vez con otra...
—¿Caer?
—¡Caer, sí! ¡Y fue por soberbia!
—No, fue por amor, por verdadero amor...
—Por amor propio, padre —y estalló a llorar» (pág. 140).

En la obra de Unamuno el amor se confunde a menudo con el amor propio. Ocurre también en *El otro,* en *Nada menos que todo un hombre...* El amor es

---

[20] Cfr. G. N., op. cit., pág. 139.

sólo un disfraz que oculta el sustrato narcisista en nuestras relaciones con los demás, porque, en el fondo, somos incapaces de experimentar un amor genuino por el prójimo, lo que ofrecemos no es más que un sucedáneo más o menos gratificante. Eso, claro, lo descalifica, lo empobrece y de ahí que las figuras unamunianas nunca se enamoren verdaderamente. Pero tal actitud —rechazar el anhelo amoroso del ser humano, reducirlo a una mera situación de dominio o necesidad de proyección— implica una mutilación de la personalidad, siempre polidimensional si la queremos satisfactoria, que repercute en la psicología del individuo. El ser que vive mutilado (o auto-mutilado) debe afrontar un tremendo dispendio energético en la búsqueda de pseudocompensaciones que le hagan soportable tal mutilación; o bien genera sentimientos de violencia y agresividad hacia el otro, al que se hace responsable de la propia frustración. La cosa puede desembocar en la crueldad gratuita, como es el caso de Tula (cap. XVII): reacciona con una violencia extrema e inapropiada cuando don Juan, el médico de cabecera de la familia, le propone, una vez muerto Ramiro y con suma prudencia, el matrimonio. Nuestra protagonista —mujer de gran entereza pero incapaz de auténticos sentimientos— descalifica los del prójimo (en este caso los de don Juan, antes los de Ramiro) negándose a reconocer en aquellos que proyecta, los propios:

... «cuando supo que don Juan se remediaba empezó a pensar si era, en efecto, calor de hogar lo que buscaba, aunque bien pronto dio en otra sospecha que le sublevó aún más el corazón. "¡Ah —se dijo—, lo que necesita es un ama de casa, una que le cuide, que le ponga sobre la cama ropa limpia, que haga que se le prepare el puchero..., peor, peor que el remedio, peor aún! ¡Cuando una no es remedio es animal doméstico, y la mayor parte de las veces

ambas cosas a la vez! Estos hombres... ¡O porquería
o poltronería!...”» (pág. 129).

Parece que Tula no conciba otras opciones tolera-
bles en la relación hombre-mujer que la protectora
—esto es, dependiente— que pueda desarrollarse
entre los cónyuges o bien la característica de per-
petuación de la especie. Y así es, en efecto, pues
Gertrudis experimenta una especie de aversión a lo
específicamente masculino que le lleva a rechazar el
contacto carnal alejándolo, al mismo tiempo, del
horizonte de sus sobrinos, a los que preserva en lo
posible (o sea, del todo) de un entorno emocional
afectuoso:

> «Era como una preocupación en la tía la de ir
> sustrayendo al niño, ya desde su más tierna edad de
> inconsciencia, de conocer, ni en las más leves y
> remotas señales, el amor de que había brotado.» (pá-
> gina 68).

APUNTES PSICOANALÍTICOS

Si aplicáramos aquí una interpretación psicoanalí-
tica del personaje, cabría hablar de una personalidad
xenofóbica y narcisista, encorsetada, que, en el fondo, oculta una cierta perversión sexual. En 1905 pu-
blicaba Freud su trabajo *Tres contribuciones a una
teoría sexual,* el primer enfoque comprensivo del
mundo de las perversiones sexuales y del que, no duda-
mos, Unamuno tuvo noticia. Según Freud, la perversión es una consecuencia del complejo de Edipo mal
resuelto y también una defensa que el individuo
genera contra los sentimientos de culpa ocasionados
por aquél. Y el complejo de Edipo, como sabemos, es
transferido más tarde al super yo, que también hereda las defensas provocadas por el sentimiento de
culpa: la consecuencia podrá ser en algunos casos la

formación de un super yo rígido y severo que tiranice la voluntad del individuo hasta lo que podríamos denominar una especie de masoquismo moral, o necesidad de sufrimiento con el cual se alivia la culpabilidad experimentada por el individuo.

Hablemos ahora de Gertrudis: en efecto, de niña pudo formarse un falso super yo debido a que la condición del modelo parental ofrecido (su tío, el cura don Primitivo) prohibía la heterosexualidad adulta, y, en el límite, dado su carácter sacramental, cualquier manifestación de la sexualidad: la culpabilidad está servida. Como en el conflicto intrapsíquico generado está implicado un componente instintivo especialmente enérgico (se insistirá en la fogosidad del temperamento de Tula), la total victoria del super yo, es decir, la represión de cualquier vestigio de la sexualidad, resulta imposible, de forma que dicha represión sólo se consigue parcialmente. Cierto es que Gertrudis no exterioriza ninguna forma de sexualidad perversa, pues puede gratificar sus impulsos mediante las relaciones establecidas con sus hijos-sobrinos: de ahí que los necesite. Pero sugiero que se medite sobre las inferencias que pueden deducirse de la siguiente reflexión de Tula, al levantarse del confesonario, y a propósito de su relación con Ramiro:

> «¿Le quiero o no le quiero? —se interroga—. ¿No es soberbia esto? ¿No es la triste pasión solitaria del armiño, que por no mancharse no se echa a nado en un lodazal a salvar a su compañero...?» (pág. 109).

Contrástase esta reflexión con sus últimas y escalofriantes palabras (pág. 156), donde de nuevo aparece la palabra *mancharse, lodazal, estiércol ardiente, porquería...* En el lenguaje empleado por Gertrudis vemos de qué forma la protagonista, inconscientemente, ha racionalizado parte del conflicto acogiéndose a los rígidos modelos de conducta católicos: el alma significa pureza mientras que el cuerpo, la carne, se asocia a la podredumbre y la corrupción. Superficialmente, a la suciedad.

Sea como fuere, lo que importa subrayar es que a ojos de un analista, y Unamuno lo es, la voluntad, como capacidad, tiene sus causas. En LA TÍA TULA parece responder a la transformación de un temperamento pasional y reprimido que acaba siendo una costumbre.

ESTRUCTURA Y FORMA DE LA NOVELA

El relato dispone de un narrador omnisciente, aunque selectivo, pues se limita a la óptica de sus principales personajes, esto es, Gertrudis, Rosa y Ramiro. No se proporcionará ninguna información referente a la historia que no esté avalada por la perspectiva de alguno de ellos. Y la historia se cuenta en pasado, aunque la narración se alterne con variantes estilísticas —como el presente histórico utilizado en los diálogos— que permiten armonizar el relato de un hecho pretérito con la viveza del discurso.

Más curioso resulta observar el complejo espacio-temporal en medio del cual evoluciona el relato, pues proporciona interesantes efectos simbólicos que sirven perfectamente a las intenciones del escritor. El espacio, simplificando, es único y cerrado, como en la tragedia clásica: se trata de la casa en el seno de la cual fluyen los hechos, en alguna ciudad de provincias (¿Salamanca?) [21]. Pero no hay descripciones de la

---

[21] Circunstancia ya observada por Julián Marías en su libro *Miguel de Unamuno* (Madrid, Espasa-Calpe, 1943), donde se analizan, además, las correspondencias entre Tula y Santa Teresa ya apuntadas por el propio escritor en el prólogo: ambas, en efecto, fueron fundadoras, pues Tula lo es «de una comunidad doméstica, que se prolonga después de ella» (pág. 119), amén de algunas circunstancias biográficas comunes.

misma, ni una sola explicación que facilite la ubicación real de los personajes que la transitan. Y es que le importa poco al novelista localizar su relato, preocupado como está en profundizar en la vida interior de sus protagonistas: la novela da la imagen de unas aguas quietas, apenas agitadas de vez en cuando, cuyos movimientos, no obstante, ocurren en la profundidad. Con todo, caben algunas matizaciones. Por ejemplo, el *huis clos* de la novela empieza a ser asfixiante desde que Tula decide «levantar su casa» y trasladarse definitivamente al domicilio conyugal —escenario clave, decíamos, de la novela—, una vez fallecida su hermana. Es una decisión que encierra más, si cabe, la perspectiva de la narración, pues a las tensiones conocidas hasta el momento se añadirá, en adelante, la tensión erótica que se establece entre Tula y Ramiro. Eso no se resuelve cambiando de lugar como piensa ella, por cierto en el único desplazamiento geográfico de la familia:

> «"Esto necesita campo", se dijo Gertrudis, e indicó a Ramiro la conveniencia de que todos ellos se fuesen a veranear a un pueblecito costero que tuviese montaña, dominando al mar y por éste dominada. Buscó un lugar que no fuese muy de moda, pero donde Ramiro pudiese encontrar compañeros de tresillo, pues tampoco le quería obligado a la continua compañía de los suyos. Era un género de soledad a que Gertrudis temía» (pág. 99).

Reparemos en el oxímoron de la descripción: una montaña que domina y que, a la vez, es dominada por el mar. Es una forma de antítesis, muy frecuentada por la literatura mística, por la que siente especial predilección nuestro novelista. Y, al margen del estilema, repárese también en el *tipo* de descripción que efectúa Unamuno: el paisaje sufre una *transposi-*

ción para convertirse en una relación opresora de elementos (pueblecito - montaña - mar) que intervendrá decisivamente en la acción, pues no hace sino ahondar, en campo abierto, la tensión existente entre Ramiro y Tula, hombre y mujer. Hasta que esta última decide regresar a la cautividad que impone la ciudad, más acorde, paradójicamente, con su voluntad de abstinencia y su ascetismo espiritual. Diríase, en fin, que en manos de Unamuno el espacio se psicologiza para reflejar valores morales y filosóficos, es decir, específicamente humanos.

El tiempo se ve sometido a un tratamiento similar, pues la novela cubre, en lo esencial, la trayectoria vital de Gertrudis, aunque la acción se inicie *in medias res* con algunas analepsis posteriores que permitirán dar cuenta de las circunstancias de la historia, anteriores al inicio de la novela e importantes para la buena comprensión de los hechos. Sin embargo, son muy pocos los hechos que interesan: el matrimonio de Rosa, sus embarazos, las crisis de Tula... y en todo ello el narrador, naturalmente, se vuelca. Para el resto, Unamuno practica una elipsis feroz, de manera que la narración avanza a trancos, demorándose en determinadas situaciones y omitiendo lo demás.

En cuanto al estilo, varios son los rasgos característicos que ofrece la novela y que coinciden con el común de nuestro escritor, que gustaba de defenderlo frente a estrechos criterios gramaticales: en carta a su amigo Santiago Valentí Camp, donde, de nuevo, le comenta el hecho de estar preparando LA TÍA y otros dos libros, escribe: «Quiero darme el gusto de hacerlos a mi manera, libremente, con un contenido absolutamente independiente y escritos en mi lengua y no en ese idioma muerto a que son tan propensos los que se las echan de estilistas porque carecen de estilo propio. No quiero ni reflejos de la Biblioteca Alcan en el fondo ni de la Biblioteca Rivadeneyra en la forma. Y así sigo mi camino, dejando decir. Estoy satisfecho»[22].

Es evidente que Unamuno, como todo escritor, lucha por transmitirnos su propia organización mental y vital, su forma de armonizar su mundo con el mundo adueñándose de un lenguaje que le individualice. Y tal vez hable a su modo porque también piensa a su modo. Lo cierto es que su escritura parece adaptarse al proceso de creación: tras el coloquialismo de algunas frases, las repeticiones o el gusto por la comparación se adivinan las ideas tal como acuden a la mente del escritor, a medida que acuden.

Años después, Unamuno escribirá una carta, mil veces citada, a los correctores de *El Sol,* en la que vuelve a manifestar su conciencia artística y su deseo de que respeten sus originales con las particularidades ortográficas (escojer, telégrama, etc.) y semánticas, pues sobre estas últimas debe recordarse que el novelista, profundo conocedor de lenguas clásicas y modernas, suele utilizar las palabras en su sentido o valor etimológico que no siempre coincide con el actual[23].

Sea como sea, Unamuno aborda su relato al primer salto y violentamente. Véase, por ejemplo, el párrafo inicial de la novela:

> «Era a Rosa y no a su hermana Gertrudis, que siempre salía de casa con ella, a quien ceñían aquellas ansiosas miradas que les enderezaba Ramiro. O, por lo menos, así lo creían ambos, Ramiro y Rosa, al atraerse el uno al otro» (pág. 49).

---

[22] José Tarín Iglesias, *Unamuno y sus amigos catalanes,* op. cit., pág. 183. Félix Alcan fue un editor francés, fundador de la *Bibliothèque de philosophie contemporaine* (1880), que, entre otros, dio a conocer a Henri Bergson. Las referencias a la «Biblioteca Alcan» son frecuentes en los escritos de don Miguel.
[23] Fue el 3 de marzo de 1932. La edición de José Luis Gómez (Planeta, 1986) la reproduce literalmente: págs. XXXI y XXXII.

Tono, ritmo y argumento se muestran aquí quintaesenciados: desde su comienzo la narración se inmoviliza y atiende, como si respondiera a la formulación de algún interrogante, a su episodio medular, al hecho de que Ramiro se fijara primero en Rosa, de lo que deriva la historia que sigue. La tensión interna entre ambos hechos se crea pues desde un principio narrativo que insinúa el conflicto posterior, y es fácil suponer que no fuera éste el primer capítulo que escribiera Unamuno de su novela [24]. Sin embargo, la fuerza del narrador, sostenida admirablemente, queda muy disminuida en el último capítulo de la obra, una especie de diálogo heurístico (al estilo clásico) entre Manuela, Rosa y Caridad, donde las alianzas y tensiones familiares se resuelven en una conclusión final (expuesta ya por el narrador en el capítulo anterior) y es la herencia espiritual de Tula, que sin haber transmitido, en lo carnal, su ser a nadie, ha logrado preservar el edificio familiar, sustento moral del individuo, de las inclemencias de la vida [25].

---

[24]   Véase intr. de M. G. B., vol. IX de las *O.C.*, pág. 32, donde el prologuista, apoyándose en el autógrafo que se conserva en la casa-museo de Unamuno en Salamanca, apunta la posibilidad de que el capítulo VII (el más largo de la novela) fuera el primero que escribiera Unamuno. Aunque después, en redacciones posteriores, hizo retroceder la narración hasta el episodio del noviazgo de Ramiro y Rosa. Como bien observa A. Longhurst en su edición (Cátedra, 1988), el hecho de retroceder la acción permite a Unamuno profundizar en la personalidad juvenil de Gertrudis, así como en su decisiva intervención en la boda de su hermana Rosa.

[25]   La específica ejemplaridad de la novela influye en algunos de los textos posteriores de Eduardo Marquina, amigo de Unamuno y como él fascinado por la capacidad engendradora de la mujer. Por ejemplo, *María, la viuda* (Madrid, Ediciones Españolas, 1943) plantea un problema similar y ofrece abundantes analogías con la tía Tula, incluso textuales: la repetida imagen de los hombres como *zánganos,* se alude a la antagonista como *la santa,* etc. Marquina es también autor de un drama histórico en verso: *Santa Teresa de Jesús* (1933), que confirma el interés suscitado en la época por la Santa de Ávila.

Se diría que el propio escritor, que poseía un arraigado sentido mesiánico de su labor intelectual, se identifica con Tula, la cual, a su vez, puede verse como una encarnación del problemático ser de España. De lo contrario, ¿a qué vienen las comparaciones de Gertrudis y su familia con la vida de los insectos, con las comunidades de abejas, por ejemplo, la mayoría de las cuales viven en un perfecto estado de alienación? La imagen tiene sentido si recordamos lo manifestado en el prólogo acerca de la domesticidad del ser humano como soporte a cualquier estadio de civilización. Es decir, que la novela cristaliza ideológicamente en un propósito que va más allá del retrato femenino para convertirse en una parábola.

Como vemos, coexisten armónicamente varias interpretaciones de la novela proporcionadas por la doble isotopía semántica sostenida a lo largo del texto: en la primera, y superficial, estamos ante un relato cuyas características argumentales exponíamos al comienzo de la introducción. La segunda, más profunda y potenciada en los capítulos finales de la novela, viene dada por la transcodificación alegórica del relato, que adquiere de ese modo una significación político-moral aunque imposible de resolver, pues Unamuno no ofrece suficientes claves para ello.

SOBRE EL PRÓLOGO UNAMUNIANO

Por último, dos palabras sobre el prólogo «que puede saltar el lector de novelas» (como reza el subtítulo) con cierta razón, pues, en efecto, no es necesario para el buen entendimiento de lo que sigue: Unamuno lo escribió a pitón pasado, una vez concluida la obra y de acuerdo con su hábito prologuista, bien captado por Ricardo Gullón en el estudio que llevó a cabo de su obra[26]. En efecto, los prólogos permiten a Unamuno fortalecer su personalismo creador (en detrimento de la entidad de sus personajes): «Escribiendo sin máscara —observa Gullón—, sin persona interpuesta, su palabra no se presta a equívocos. El lector sabe de quién procede el mensaje y cuyo es el acento»[27]. De manera que se enfrentará al prólogo como si de otra novela se tratara. Lo que no impide al lector acceder, a través de estas y otras escaramuzas empleadas, conocer de propia mano los materiales que han intervenido en la creación literaria (esta praxis unamuniana resulta axiomática en *Cómo se hace una novela*).

En el prólogo que nos ocupa se nos advierten las raíces teresianas y cervantinas (quijotescas, para ser precisos) de la obra. Qué duda cabe: el elemento temático, casi forzosamente, es intertextual —lo podemos rastrear en otros escritores— e intratextual —con frecuencia aparecerá en otras obras del mismo autor, como hemos tenido ocasión de probar—. Pero ninguna de las cuatro referencias proporcionadas —Santa Teresa, Don Quijote, Antígona, Abisag— es gratuita el 26 de noviembre de 1920 (fecha del pie), cuando el reciente autor de *Abel Sánchez* (1917) ha sufrido ya algunos de sus batacazos políticos: por ejemplo, en 1914 fue destituido de su cargo de Rector de la Universidad de Salamanca por su postura aliadófila[28].

A la visión de la tía Tula como madre y fundadora, a su raigambre idealista o quijesca, el catedrático salmantino añade otras, decíamos, que permiten interpretar alegóricamente la novela, y, en especial, el

---

[26] Véase *Autobiografías de Unamuno*, op. cit., págs. 246 y siguientes.

[27] *Ibíd.*, pág. 247.

[28] Una idea similar es recogida por José Carlos Mainer (véase intr. a *La Tía Tula*, Madrid, Alianza Editorial, 1987, págs. I-XXI).

sentido de los dos capítulos finales: tanto Antígona
como Abisag —y en esta línea, Tula— son mujeres
excepcionales que sacrifican sus vidas por aquello
que no está escrito pero es inquebrantable: la conciencia del deber, de la convivencia, frente al cainis-
mo político y la lucha incivil entre hermanos (¿vatici-
nio de la guerra o guerras que se avecinaban?). En
cualquier caso, del trasunto histórico facilitado por la
referencia a Antígona, enfrentada a Creonte, éste de-
fendiendo la ley de estado, aquélla, la vigencia de la
ley moral, se desprende una alusión esclarecedora a la
sociedad española y a los problemas que tenía plan-
teados, y que tanto preocuparon al escritor bilbaíno.

   Así, el drama íntimo que configura el esqueleto
narrativo puede leerse como una lección moral que
reclama dos llamadas de atención. La primera, su
concepción de la célula familiar como cañamazo en
que se aprenden y sustentan después los principios
que rigen la convivencia entre los hombres. La segunda es que la norma del deber, de la ascética o de la
espiritualidad en que se asientan las figuras dolientes
a las que apela don Miguel (seres, en fin, estremeci-
dos por la angustia), esta norma puede resultar
corrosiva para el individuo, incluso para la sociedad,
aunque no por ello será menos necesaria: en otras
palabras, lo que es justo resulta injusto también,
como todo lo que existe.

                                        ANNA CABALLÉ.

BIBLIOGRAFÍA SELECTA

ABELLÁN, JOSÉ LUIS: *Miguel de Unamuno a la luz de la psicología,* Madrid, Tecnos, 1964.

ARANGUREN, JOSÉ LUIS L.: «Sobre el talante religioso de Miguel de Unamuno», en *Arbor,* núm. 36 (1948).

BATCHELOR, R. R.: *Unamuno novelist: a european perspective,* Oxford, The Dolphin Books, 1972.

BLANCO AGUINAGA, CARLOS: *Unamuno, teórico del lenguaje,* México, El Colegio de México, 1954.

BLANCO AGUINAGA, CARLOS: *El Unamuno contemplativo,* México, El Colegio de México, 1959.

CLAVERÍA, CARLOS: *Temas de Unamuno,* Madrid, Gredos, 1970.

DÍAZ, ELÍAS: *Revisión de Unamuno,* Análisis crítico de su pensamiento político, Madrid, Tecnos, 1968.

FEAL, CARLOS: «Nada menos que toda una mujer: *La tía Tula* de Unamuno», en *Estelas, laberintos, nuevas sendas. Unamuno, Valle-Inclán, García Lorca. La guerra civil,* Ed. de Ángel G. Loureiro, Anthropos, Barcelona, 1988, págs. 65-79.

GARCÍA VIÑÓ, M.: «Relectura de La tía Tula», en *Arbor,* núm. 349 (1975).

GULLÓN, RICARDO: *Autobiografía de Unamuno,* Madrid, Gredos, 1964.

HANNAN, D. G.: «Unamuno: *La tía Tula* como expresión novelesca del ensayo *Sobre la soberbia*», en *Romance Notes,* University of North Carolina, núm. 12 (1971).

IGLESIAS ORTEGA, LUIS: *Unamuno, especie única,* Salamanca, Anaya, 1989.

LA TORRE: IX, núms. 35-36, San Juan de Puerto Rico (1961). Homenaje a Unamuno.

LACY, ALLEN y MIGUEL DE UNAMUNO: *The Rethoric of Existence,* La Haya, Mouton, 1967.

MARÍAS, JULIÁN: *Miguel de Unamuno,* Madrid, Espasa-Calpe, 1943.

MONTES HUIDOBRO, M.: «*La tía Tula:* matrimonio en el cosmos», en *Estudios en honor a Ricardo Gullón,* Nebraska, Lincoln, 1984.

NAVAJAS, GONZALO: *Miguel de Unamuno: Bipolaridad y síntesis ficcional,* Barcelona, PPU, 1986.

NORA, EUGENIO G. DE: «La novela agónica de Unamuno», en *La novela española contemporánea* (I), Madrid, Gredos, 1958.

REIFF, CATHERINE M.: «Maternidad y soledad en La tía Tula», en *Ínsula,* núm. 463 (1985).

RIBBANS, GEOFFREY: «El autógrafo de parte de *La tía Tula* y su significado para la evolución de la novela», en *Volumen-Homenaje a Miguel de Unamuno,* publicado bajo la dirección de D. Gómez Molleda, Salamanca, 1986, págs. 475-493.

RIBBANS, GEOFFREY: «Dialéctica de lucha y ambigüedad en la novelística unamuniana», en *Actas del Congreso Internacional Cincuentenario de Unamuno,* Universidad de Salamanca, ed. de D. Gómez Molleda, Salamanca, 1989, págs. 153-164.

SALCEDO, EMILIO: *Vida de Don Miguel,* Salamanca, Anaya, 1964.

TURNER, DAVID: *Unamuno's Webs of Fatality,* Londres, Tamesis Books, 1974.

ZUBIZARRETA, ARMANDO F.: *Unamuno en su «nivola»,* Madrid, Taurus, 1960.

NUESTRA EDICIÓN

Esta edición sigue en todo a la edición príncipe publicada por la madrileña editorial Renacimiento, en 1921, y que fue revisada por el propio escritor, lo que es garantía de su fidelidad y acuerdo con el manuscrito unamuniano. Se respetan los laísmos y leísmos característicos de su estilo (y sobre los que tanto escribió y justificó en sus artículos periodísticos) aunque se ha actualizado la acentuación. El texto sufrió algunas variaciones, de índole sintáctica y semántica fundamentalmente, en las ediciones posteriores, fruto tal vez de un espíritu hipercorrector poco justificable y al que alude José Luis Gómez en su edición de la novela (Planeta, 1986).

LA TÍA TULA

PRÓLOGO

(QUE PUEDE SALTAR EL LECTOR DE NOVELAS)

«Tenía uno [hermano] casi de mi edad, que era el que yo más quería, aunque a todos tenía gran amor y ellos a mí; juntábamonos entrambos a leer vidas de santos... Espantábamos mucho el decir en lo que leíamos que pena y gloria eran para siempre. Acaecíamos estar muchos ratos tratando desto, y gustábamos de decir muchas veces para siempre, siempre, siempre. En pronunciar esto mucho rato era el Señor servido, me quedase en esta niñez imprimido el camino de la verdad. De que vi que era imposible ir adonde me matasen por Dios, ordenábamos ser ermitaños, y en una huerta que había en casa procurábamos, como podíamos, hacer ermitas poniendo unas pedrecillas, que luego se nos caían, y ansí no hallábamos remedio en nada para nuestro deseo; que ahora me pone devoción ver cómo me daba Dios tan presto lo que yo perdí por mi culpa.

....

»Acuérdome que cuando murió mi madre quedé yo de edad de doce años, poco menos; como yo comencé a entender lo que había perdido, afligida fuime a una imagen de Nuestra Señora y supliquéla fuese mi madre con muchas lágrimas. Paréceme que aunque se hizo con simpleza, que me ha valido, pues conocidamente he hallado a esta Virgen Soberana en cuanto me he encomendado a ella, y, en fin, me ha tornado a sí.»

(Del capítulo I de la Vida *de la Santa Madre Teresa de Jesús, que escribió ella misma por mandado de su confesor.)*

«Sea [Dios] alabado por siempre, que tanta merced ha hecho a vuestra merced, pues le ha dado mujer, con quien pueda tener mucho descanso. Sea mucho de enhorabuena, que harto consuelo es para mí pensar que le tiene. A la señora doña María beso siempre las manos muchas veces; aquí tiene una capellana y muchas. Harto quisiéramos poderla gozar; mas si había de ser con los trabajos que por acá hay, más quiero que tenga allá sosiego, que verla acá padecer.»

(De una carta que desde Ávila, a 15 de diciembre de 1581, dirigió la Santa Madre, y Tía, Teresa de Jesús, a su sobrino don Lorenzo de Cepeda, que estaba en Indias, en el Perú, donde se casó con doña María de Hinojosa, que es la señora doña María de que se habla en ella.)

En el capítulo II de la misma susomentada *Vida,* dice la Santa Madre Teresa de Jesús que era moza «aficionada a leer libros de caballerías» —*los suyos* lo son, a lo divino— y en uno de los sonetos, de nuestro *Rosario* de ellos, la hemos llamado:

> *Quijotesa*
> *a lo divino, que dejó asentada*
> *nuestra España inmortal, cuya es la empresa*
> *sólo existe lo eterno; ¡Dios o nada!*

Lo que acaso alguien crea que diferencia a Santa Teresa de Don Quijote, es que éste, el Caballero —y tío, tío de su inmortal sobrina—, se puso en ridículo y fue el ludibrio y juguete de padres y madres, de zánganos y de reinas; pero ¿es que Santa Teresa escapó al ridículo? ¿Es que no se burlaron de ella? ¿Es que no se estima hoy por muchos quijotesco, o sea ridículo, su instituto, y aventurera, de caballería andante, su obra y su vida?

No crea el lector, por lo que precede, que el relato que se sigue y va a leer es, en modo alguno, un comentario a la vida de la Santa española. ¡No, nada de esto! Ni pensábamos en Teresa de Jesús al emprenderlo y desarrollarlo; ni en Don Quijote. Ha sido después de haberlo terminado, cuando aun para nuestro ánimo, que lo concibió, resultó una novedad este parangón, cuando hemos descubierto las raíces de este relato novelesco. Nos fue oculto su más hondo sentido al emprenderlo. No hemos visto sino después, al hacer sobre él examen de conciencia de autor, sus raíces teresianas y quijotescas. Que son una misma raíz.

¿Es acaso éste un libro de caballerías? Como el lector quiera tomarlo... Tal vez a alguno pueda parecerle una novela hagiográfica, de vida de santos. Es, de todos modos, una novela, podemos asegurarlo.

No se nos ocurrió a nosotros, sino que fue cosa de un amigo, francés por más señas, el notar que la inspiración —¡perdón!— de nuestra *nivola Niebla* era de la misma raíz que la de *La vida es sueño,* de Calderón. Mas en este otro caso ha sido cosa nuestra el descubrir, después de concluida esta novela que tienes a la vista, lector, sus raíces quijotescas y teresianas. Lo que no quiere decir, ¡claro está!, que lo que aquí se cuenta no haya podido pasar fuera de España.

Antes de terminar este prólogo queremos hacer otra observación, que le podrá parecer a alguien quizá sutileza de lingüista y filólogo, y no lo es sino de psicología. Aunque ¿es la psicología algo más que lingüística y filología?

La observación es que así como tenemos la palabra *paternal* y *paternidad* que derivan de *pater,* padre, y *maternal* y *maternidad,* de *mater,* madre, y no es lo mismo, ni mucho menos, lo paternal y lo maternal, ni la paternidad y la maternidad, es extraño que junto a *fraternal* y *fraternidad,* de *frater,* hermano, no tengamos *sororal* y *sororidad,* de *soror,* hermana. En latín hay *sororius, a, um,* lo de la hermana, y el verbo *sororiare,* crecer por igual y juntamente.

Se nos dirá que la *sororidad* equivaldría a la *fraternidad,* mas no lo creemos así. Como si en latín tuviese la hija un apelativo de raíz distinta que el de hijo, valdría la pena de distinguir entre las dos filialidades.

Sororidad fue la de la admirable Antígona, esta santa del paganismo helénico, la hija de Edipo, que sufrió martirio por amor a su hermano Polinices, y por confesar su fe de que las leyes eternas de la conciencia, las que rigen en el eterno mundo de los muertos, en el mundo de la inmortalidad, no son las que forjan los déspotas y tiranos de la tierra, como era Creonte.

Cuando en la tragedia sofocleana Creonte le acusa a su sobrina Antígona de haber faltado a la ley, al mandato regio, rindiendo servicio fúnebre a su hermano, el fratricida, hay entre aquéllos este duelo de palabras:

«*A.*—No es nada feo honrar a los de la misma entraña.

»*Cr.*—¿No era de tu sangre también el que murió contra él?

»*A.*—De la misma, por madre y padre...

»*Cr.*—¿Y cómo rindes a éste un honor impío?

»*A.*—No diría eso el muerto...

»*Cr.*—Pero es que le honras igual que al impío...

»*A.*—No murió su siervo, sino su hermano...

»*Cr.*—Asolando esta tierra, y el otro defendiéndola...

»*A.*—El otro mundo, sin embargo gusta de igualdad ante la ley...

»*Cr.*—¿Cómo ha de ser igual para el vil que para el noble?

»*A.*—Quién sabe si estas máximas son santas allí abajo...»

(Antígona, versos 511-521.)

¿Es que acaso lo que a Antígona le permitió descubrir esa ley eterna, apareciendo a los ojos de los ciudadanos de Tebas y de Creonte, su tío, como una anarquista, no fue el que era, por terrible decreto del Hado, hermana carnal de su propio padre, Edipo? Con el que había ejercido oficio de *sororidad* también.

El acto *sororio* de Antígona dando tierra al cadáver insepulto de su hermano y librándolo así del furor regio de su tío Creonte, parecióle a éste un acto de anarquista. «¡No hay mal mayor que el de la anarquía!», declaraba el tirano. (*Antígona,* verso 672.) ¿Anarquía? ¿Civilización?

Antígona, la anarquista según su tío, el tirano Creonte, modelo de virilidad, pero no de humanidad; Antígona, hermana de su padre Edipo, y, por lo tanto, tía de su hermano Polinices, representa acaso la domesticidad religiosa, la religión doméstica, la del hogar, frente a la civilidad política y tiránica, a la tiranía civil, y acaso también la domesticación frente a la civilización. Aunque ¿es posible civilizarse sin haberse domesticado antes? ¿Caben civilidad y civilización donde no tienen como cimientos domesticidad y domesticación?

Hablamos de *patrias* y sobre ellas de *fraternidad* universal, pero no es una sutileza lingüística el sostener que no pueden prosperar sino sobre *matrias* y *sororidad*. Y habrá barbarie de guerras devastadoras, y otros estragos, mientras sean los zánganos, que revolotean en torno de la reina para fecundar y devorar la miel que no hicieron, los que rijan las colmenas.

¿Guerras? El primer acto guerrero fue, según lo que llamamos Historia Sagrada, la de la Biblia, el asesinato de Abel por su hermano Caín. Fue una muerte fraternal, entre hermanos; el primer acto de fraternidad. Y dice el *Génesis* que fue Caín, el fratricida, el que primero edificó una ciudad, a la que llamó del nombre de su hijo —habido en una hermana— Henoc. (*Gén.*, IV, 17.) Y en aquella ciudad, *polis,* debió empezar la vida civil, política, la civilidad y la civilización. Obra, como se ve, del fratricida. Y cuando siglos más tarde, nuestro Lucano, español, llamó a las guerras entre César y Pompeyo *plusquam civilia,* más que civiles —lo dice en el primer verso de su *Pharsalia*— quiere decir *fraternales*. Las guerras más que civiles son las fraternales.

Aristóteles le llamó al hombre *zoon politicon,* esto es, animal civil o ciudadano —no político, que esto es no traducir— animal que tiende a vivir en ciudades, en mazorcas de casas estadizas, arraigadas en tierra por cimientos, y ése es el hombre y, sobre todo, el varón. Animal civil, urbano, fraternal y... fratricida. Pero ese animal civil, ¿no ha de depurarse por acción doméstica? Y el hogar, el verdadero hogar, ¿no ha de encontrarse lo mismo en la tienda del pastor errante que se planta al azar de los caminos? Y Antígona acompañó a su padre, ciego y errante, por los senderos del desierto, hasta que desapareció en Colono. ¡Pobre civilidad fraternal, cainita, si no hubiera la domesticidad sororia!...

Va, pues, el fundamento de la civilidad, la domesticidad, de mano en mano, de hermanas, de tías. O de esposas de espíritu, castísimas, como aquella Abisag, la sunamita de que se nos habla en el capítulo I del libro I de los Reyes, aquella doncella que le llevaron al viejo rey David, ya cercano a su muerte, para que le mantuviese en la puesta de su vida, abrigándole y calentándole en la cama, mientras dormía. Y Abisag le sacrificó su maternidad, permaneció virgen por él —pues David no la conoció— y fue causa de que más luego Salomón, el hijo del pecado de David con la adúltera Betsabé, hiciese matar a Adonías, su herma-nastro, hijo de David y de Hagit, porque pretendió para mujer a Abisag, la última reina con David, pensando así heredar a éste su reino.

Pero a esta Abisag y a su suerte y a su sentido pensamos dedicar todo un libro que no será precisa-mente una novela. Ni una *nivola*.

Y ahora el lector que ha leído este prólogo —que no es necesario para inteligencia en lo que sigue— puede pasar a hacer conocimiento con la tía Tula, que si supo de Santa Teresa y de Don Quijote, acaso no supo ni de Antígona la griega ni de Abisag la israelita.

En mi novela *Abel Sánchez* intenté escarbar en ciertos sótanos y escondrijos del corazón, en ciertas catacumbas del alma, adonde no gustan descender los más de los mortales. Creen que en esas catacum-bas hay muertos, a los que lo mejor es no visitar, y esos muertos, sin embargo, nos gobiernan. Es la herencia de Caín. Y aquí, en esta novela, he intenta-do escarbar en otros sótanos y escondrijos. Y como no ha faltado quien me haya dicho que aquello era inhumano, no faltará quien me lo diga, aunque en otro sentido, de esto. Aquello pareció a alguien inhumano por viril, por fraternal; esto lo parecerá acaso por femenil, por sororio. Sin que quepa negar que el varón hereda femenidad de su madre y la mujer virilidad de su padre. ¿O es que el zángano no tiene algo de abeja y la abeja de zángano? O hay, si se quiere, *abejos* y *zánganas*.

Y nada más, que no debo hacer una novela sobre otra novela.

En Salamanca, ciudad, en el día de los Desposorios de Nuestra Señora del año de gracia milésimo novecentésimo y vigésimo.

I

Era a Rosa y no a su hermana Gertrudis, que siempre salía de casa con ella, a quien ceñían aquellas ansiosas miradas que les enderezaba Ramiro. O, por lo menos, así lo creían ambos, Ramiro y Rosa, al atraerser el uno al otro.

Formaban las dos hermanas, siempre juntas, aunque no por eso unidas siempre, una pareja al parecer indisoluble, y como un solo valor. Era la hermosura espléndida y algún tanto provocativa de Rosa, flor de carne que se abría a flor del cielo a toda luz y todo viento, la que llevaba de primera vez las miradas a la pareja; pero eran luego los ojos tenaces de Gertrudis los que sujetaban a los ojos que se habían fijado en ellos y los que a la par les ponían raya. Hubo quien al verlas pasar preparó algún chicoleo un poco más subido de tono; mas tuvo que contenerse al tropezar con el reproche de aquellos ojos de Gertrudis, que hablaban mudamente de seriedad. «Con esta pareja no se juega», parecía decir con sus miradas silenciosas.

Y bien miradas y de cerca aún despertaba más Gertrudis el ansia de goce. Mientras su hermana Rosa abría espléndidamente a todo viento y toda luz la flor de su encarnadura, ella era como un cofre cerrado y sellado en que se adivina un tesoro de ternuras y delicias secretas.

Pero Ramiro, que llevaba el alma toda a flor de los

ojos, no creyó ver más que a Rosa, y a Rosa se
dirigió desde luego.

—¿Sabes que me ha escrito? —le dijo ésta a su
hermana.

—Sí, vi la carta.

—¿Cómo? ¿Que la viste? ¿Es que me espías?

—¿Podía dejar de haberla visto? No, yo no espío
nunca, ya lo sabes, y has dicho eso no más que por
decirlo...

—Tienes razón, Tula; perdónamelo.

—Sí, una vez más, porque tú eres así. Yo no espío,
pero tampoco oculto nunca nada. Vi la carta.

—Ya lo sé; ya lo sé...

—He visto la carta y la esperaba.

—Y bien, ¿qué te parece de Ramiro?

—No le conozco.

—Pero no hace falta conocer a un hombre para
decir lo que le parece a una de él.

—A mí, sí.

—Pero lo que se ve, lo que está a la vista...

—Ni de eso puedo juzgar sin conocerle.

—¿Es que no tienes ojos en la cara?

—Acaso no los tenga así...; ya sabes que soy corta
de vista.

—¡Pretextos! Pues mira, chica, es un guapo mozo.

—Así parece.

—Y simpático.

—Con que te lo sea a ti, basta.

—Pero ¿es que crees que le he dicho ya que sí?

—Sé que se lo dirás al cabo, y basta.

—No importa; hay que hacerle esperar y hasta
rabiar un poco...

—¿Para qué?

—Hay que hacerse valer.

—Así no te haces valer, Rosa; y ese coqueteo es
cosa muy fea.

—De modo que tú...

—A mí no se me ha dirigido.

—¿Y si se hubiera dirigido a ti?

—No sirve preguntar cosas sin sustancia.

—Pero tú, si a ti se te dirige, ¿qué le habrías contestado?

—Yo no he dicho que me parece un guapo mozo y que es simpático, y por eso me habría puesto a estudiarle...

—Y entretanto si iba a otra...

—Es lo más probable.

—Pues así, hija, ya puedes prepararte...

—Sí, a ser tía.

—¿Cómo tía?

—Tía de tus hijos, Rosa.

—¡Eh, qué cosas tienes! —y se le quebró la voz.

—Vamos, Rosita, no te pongas así, y perdóname —le dijo dándole un beso.

—Pero si vuelves...

—¡No, no volveré!

—Y bien, ¿qué le digo?

—¡Dile que sí!

—Pero pensará que soy demasiado fácil...

—¡Entonces dile que no!

—Pero es que...

—Sí, que te parece un guapo mozo y simpático. Dile, pues, que sí y no andes con más coqueterías, que eso es feo. Dile que sí. Después de todo, no es fácil que se te presente mejor partido. Ramiro está muy bien, es hijo solo...

—Yo no he hablado de eso.

—Pero yo hablo de ello, Rosa, y es igual.

—¿Y no dirán, Tula, que tengo ganas de novio?

—Y dirán bien.

—¿Otra vez, Tula?

—Y ciento. Tienes ganas de novio y es natural que las tengas. ¿Para qué si no te hizo Dios tan guapa?

—¡Guasitas no!

—Ya sabes que yo no me guaseo. Parézcanos bien o mal, nuestra carrera es el matrimonio o el conven-

to; tú no tienes vocación de monja; Dios te hizo para
el mundo y el hogar..., vamos, para madre de familia... No vas a quedarte a vestir imágenes. Dile, pues,
que sí.

—¿Y tú?

—¿Cómo yo?

—Que tú, luego...

—A mí déjame.

Al día siguiente de estas palabras estaban ya en lo
que se llaman relaciones amorosas Rosa y Ramiro.

Lo que empezó a cuajar la soledad de Gertrudis.

Vivían las dos hermanas, huérfanas de padre y
madre desde muy niñas, con un tío materno, sacerdote, que no las mantenía, pues ellas disfrutaban de un
pequeño patrimonio que les permitía sostenerse en la
holgura de la modestia, pero les daba buenos consejos a la hora de comer, en la mesa, dejándolas, por
lo demás, a la guía de su buen natural. Los buenos
consejos eran consejos de libros, los mismos que le
servían a don Primitivo para formar sus escasos
sermones.

«Además —se decía a sí mismo con muy buen
acierto don Primitivo—, ¿para qué me voy a meter en
sus inclinaciones y sentimientos íntimos? Lo mejor es
no hablarlas mucho de eso, que se les abre demasiado
los ojos. Aunque... ¿abrirles? ¡Bah!, bien abiertos los
tienen, sobre todo las mujeres. Nosotros los hombres
no sabemos una palabra de esas cosas. Y los curas,
menos. Todo lo que nos dicen los libros son patara-
tas. ¡Y luego, me mete un miedo esa Tulilla...!
Delante de ella no me atrevo..., no me atrevo... ¡Tiene
unas preguntas la mocita! Y cuando me mira tan
seria, tan seria..., con esos ojazos tristes —los de mi
hermana, los de mi madre, ¡Dios las tenga en su santa
gloria!—. ¡Esos ojazos de luto que se le meten a uno
en el corazón...! Muy serios, sí, pero riéndose con el
rabillo. Parecen decirme: "¡No diga usted más bobadas, tío!" ¡El demonio de la chiquilla! ¡Todavía me

acuerdo el día en que se empeñó en ir, con su hermana, a oírme aquel sermoncete; el rato que pasé, Jesús Santo! ¡Todo se me volvía apartar mis ojos de ella por no cortarme; pero nada, ella tirando de los míos! Lo mismo, lo mismito me pasaba con su santa madre, mi hermana, y con mi santa madre, Dios las tenga en su gloria. Jamás pude predicar a mis anchas delante de ellas, y por eso les tenía dicho que no fuesen a oírme. Madre iba, pero iba a hurtadillas, sin decírmelo, y se ponía detrás de la columna, donde yo no le viera, y luego no me decía nada de mi sermón. Y lo mismo hacía mi hermana. Pero yo sé lo que ésta pensaba, aunque tan cristiana, lo sé. "¡Bobadas de hombres!" Y lo mismo piensa esta mocita, estoy de ello seguro. No, no, ¿delante de ella predicar? ¿Yo? ¿Darle consejos? Una vez se le escapó lo de *¡bobadas de hombres!,* y no dirigiéndose a mí, no; pero yo le entiendo...»

El pobre señor sentía un profundísimo respeto, mezclado de admiración, por su sobrina Gertrudis. Tenía el sentimiento de que la sabiduría iba en su linaje por vía femenina, que su madre había sido la providencia inteligente de la casa en que se crió, que su hermana lo había sido en la suya, tan breve. Y en cuanto a su otra sobrina, a Rosa, le bastaba para protección y guía con su hermana. «Pero qué hermosa la ha hecho Dios, Dios sea alabado —se decía—; esta chica o hace un gran matrimonio, con quien ella quiera, o no tienen los mozos de hoy ojos en la cara.»

Y un día fue Gertrudis la que, después que Rosa se levantó de la mesa fingiendo sentirse algo indispuesta, al quedarse a solas con su tío, le dijo:

—Tengo que decirle a usted, tío, una cosa muy grave.

—Muy grave..., muy grave... —y el pobre señor se azaró, creyendo observar que los rabillos de los ojazos tan serios de su sobrina reían maliciosamente.

—Sí, muy grave.

—Bueno, pues desembucha, hija, que aquí estamos los dos para tomar un consejo.

—El caso es que Rosa tiene ya novio.

—¿Y no es más que eso?

—Pero novio formal, ¿eh?, tío.

—Vamos, sí, para que yo los case.

—¡Naturalmente!

—Y a ti, ¿qué te parece de él?

—Aún no ha preguntado usted quién es...

—¿Y qué más da, si yo apenas conozco a nadie? A ti, ¿qué te parece de él?, contesta.

—Pues tampoco yo le conozco.

—Pero ¿no sabes quién es, tú?

—Sí, sé cómo se llama y de qué familia es y...

—¡Basta! ¿Qué te parece?

—Que es un buen partido para Rosa y que se querrán.

—Pero ¿es que no se quieren ya?

—Pero ¿cree usted, tío, que pueden empezar queriéndose?

—Pues así dicen, chiquilla, y hasta que eso viene como un rayo...

—Son decires, tío.

—Así será; basta que tú lo digas.

—Ramiro..., Ramiro Cuadrado...

—Pero ¿es el hijo de doña Venancia, la viuda? ¡Acabáramos! No hay más que hablar.

—A Ramiro, tío, se le ha metido Rosa por los ojos y cree estar enamorado de ella...

—Y lo estará, Tulilla, lo estará...

—Eso digo yo, tío, que lo estará. Porque como es hombre de vergüenza y de palabra, acabará por cobrar cariño a aquella con la que se ha comprometido ya. No le creo hombre de volver atrás.

—¿Y ella?

—¿Quién? ¿Mi hermana? A ella le pasará lo mismo.

—Sabes más que San Agustín, hija.

—Esto no se aprende, tío.

—¡Pues que se casen, los bendigo y sanseacabó!

—¡O sanseempezó! Pero hay que casarlos y pronto. Antes que él se vuelva...

—Pero ¿temes tú que él pueda volverse...?

—Yo siempre temo de los hombres, tío.

—¿Y de las mujeres no?

—Esos temores deben quedar para los hombres. Pero sin ánimo de ofender al sexo... fuerte, ¿no se dice así?, le digo que la constancia, que la fortaleza está más bien de parte nuestra...

—Si todas fueran como tú, chiquilla, lo creería así, pero...

—¿Pero qué?

—¡Que tú eres excepcional, Tulilla!

—Le he oído a usted más de una vez, tío, que las excepciones confirman la regla.

—Vamos, que me aturdes... Pues bien, los casaremos, no sea que se vuelva él... o ella...

Por los ojos de Gertrudis pasó como la sombra de una nube de borrasca, y si se hubiera podido oír el silencio habríase oído que en las bóvedas de los sótanos de su alma resonaba como un eco repetido y que va perdiéndose a lo lejos aquello de «o ella...».

II

Pero ¿qué le pasaba a Ramiro, en relaciones ya, y en relaciones formales, con Rosa, y poco menos que entrando en la casa? ¿Qué dilaciones y qué frialdades eran aquéllas?

—Mira, Tula, yo no le entiendo; cada vez le entiendo menos. Parece que está siempre distraído y como si estuviese pensando en otra cosa —o en otra persona, ¡quién sabe!— o temiendo que alguien nos vaya a sorprender de pronto. Y cuando le tiro algún avance y le hablo, así como quien no quiere la cosa, del fin que deben tener nuestras relaciones, hace como que no oye y como si estuviera atendiendo a otra...

—Es porque le hablas como quien no quiere la cosa. Háblale como quien la quiere...

—¡Eso es, y que piense que tengo prisa por casarme!

—¡Pues que lo piense! ¿No es acaso así?

—Pero ¿crees tú, Tula, que yo estoy rabiando por casarme?

—¿Le quieres?

—Eso nada tiene que ver...

—¿Le quieres, di?

—Pues mira...

—¡Pues mira, no! ¿Le quieres? ¡Sí o no!

Rosa bajó la frente con los ojos, arrebolóse toda y llorándole la voz tartamudeó:

—Tienes unas cosas, Tula; ¡pareces un confesor!

Gertrudis tomó la mano de su hermana, con otra le hizo levantar la frente, le clavó los ojos en los ojos y le dijo:

—Vivimos solas, hermana...

—¿Y el tío?

—Vivimos solas, te he dicho. Las mujeres vivimos siempre solas. El pobre tío es un santo, pero un santo de libro, y aunque cura, al fin y al cabo hombre.

—Pero confiesa...

—Acaso por eso sabe menos. Además, se le olvida. Y así debe ser. Vivimos solas, te he dicho. Y ahora lo que debes hacer es confesarte aquí, pero confesarte a ti misma. ¿Le quieres?, repito.

La pobre Rosa se echó a llorar.

—¿Le quieres? —sonó la voz implacable.

Y Rosa llegó a fingirse que aquella pregunta, en una voz pastosa y solemne y que parecía venir de las lontananzas de la vida común de la pureza, era su propia voz, era acaso la de su madre común.

—Sí, creo que le querré... mucho..., mucho... —exclamó en voz baja y sollozando.

—¡Sí le querrás mucho y él te querrá más aún!

—¿Y cómo lo sabes?

—Yo sé que te querrá.

—Entonces, ¿por qué está distraído?, ¿por qué rehúye el que abordemos lo del casorio?

—¡Yo le hablaré de eso, Rosa, déjalo de mi cuenta!

—¿Tú?

—¡Yo, sí! ¿Tiene algo de extraño?

—Pero...

—A mí no puede cohibirme el temor que a ti te cohíbe.

—Pero dirá que rabio por casarme.

—¡No, no dirá eso! Dirá, si quiere, que es a mí a quien me conviene que tú te cases para facilitar así el que se me pretenda o para quedarme a mandar aquí sola; y las dos cosas son, como sabes, dos disparates. Dirá lo que quiera, pero yo me las arreglaré.

Rosa cayó en brazos de su hermana, que le dijo al oído:

—Y luego, tienes que quererle mucho, ¿eh?

—¿Y por qué me dices tú eso, Tula?

—Porque es tu deber.

Y al otro día, al ir Ramiro a visitar a su novia, encontróse con la otra, con la hermana. Demudósele el semblante y se le vio vacilar. La seriedad de aquellos serenos ojazos de luto le concentró la sangre toda en el corazón.

—¿Y Rosa? —le preguntó sin oírse.

—Rosa ha salido y soy yo quien tengo ahora que hablarte.

—¿Tú? —dijo con labios que le temblaban.

—¡Sí, yo!

—¡Grave te pones, chica! —y se esforzó en reírse.

—Nací con esa gravedad encima, dicen. El tío asegura que la heredé de mi madre, su hermana, y de mi abuela, su madre. No lo sé, ni me importa. Lo que sí sé es que me gustan las cosas sencillas y derechas y sin engaño.

—¿Por qué lo dices, Tula?

—¿Y por qué rehúyes hablar de vuestro casamiento a mi hermana? Vamos, dímelo, ¿por qué?

El pobre mozo inclinó la frente arrebolada de vergüenza. Sentíase herido por un golpe inesperado.

—Tú le pediste relaciones con buen fin, como dicen los inocentes.

—¡Tula!

—¡Nada de Tula! Tú te pusiste con ella en relaciones para hacerla tu mujer y madre de tus hijos...

—¡Pero qué de prisa vas...! —y volvió a esforzarse a reírse.

—Es que hay que ir de prisa, porque la vida es corta.

—¡La vida es corta!, ¡y lo dice a los veintidós años!

—Más corta aún. Pues bien, ¿piensas casarte con Rosa, sí o no?

—¡Pues qué duda cabe! —y al decirlo le temblaba el cuerpo todo.

—Pues si piensas casarte con ella, ¿por qué diferirlo así?

—Somos aún jóvenes...

—¡Mejor!

—Tenemos que probarnos...

—¿Qué, qué es eso?, ¿qué es eso de probaros? ¿Crees que la conocerás mejor dentro de un año? Peor, mucho peor...

—Y si luego...

—¡No pensaste en eso al pedir la entrada aquí!

—Pero, Tula...

—¡Nada de Tula! ¿La quieres, sí o no?

—¿Puedes dudarlo, Tula?

—¡Te he dicho que nada de Tula! ¿La quieres?

—¡Claro que la quiero!

—Pues la querrás más todavía. Será una buena mujer para ti. Haréis un buen matrimonio.

—Y con tu consejo...

—Nada de consejo. ¡Yo haré una buena tía, y basta!

Ramiro pareció luchar un breve rato consigo mismo y como si buscase algo, y al cabo, con un gesto de desesperada resolución, exclamó:

—¡Pues bien, Gertrudis, quiero decirte toda la verdad!

—No tienes que decirme más verdad —le atajó severamente—; me has dicho que quieres a Rosa y que estás resuelto a casarte con ella; todo lo demás de la verdad es a ella a quien se la tienes que decir luego que os caséis.

—Pero hay cosas...

—No, no hay cosas que no se deban decir a la mujer...

—¡Pero, Tula!

—Nada de Tula, te he dicho. Si la quieres, a casarte con ella, y si no la quieres, estás de más en esta casa.

Estas palabras le brotaron de los labios fríos y mientras se le paraba el corazón. Siguió a ellas un silencio de hielo, y durante él la sangre, antes represada y ahora suelta, le encendió la cara a la hermana. Y entonces, en el silencio agorero, podía oírsele el galope trepidante del corazón.

Al siguiente día se fijaba el de la boda.

III

Don Primitivo autorizó y bendijo la boda de Ramiro con Rosa. Y nadie estuvo en ella más alegre que lo estuvo Gertrudis. A tal punto, que su alegría sorprendió a cuantos la conocían, sin que faltara quien creyese que tenía muy poco de natural.

Fuéronse a su casa los recién casados, y Rosa reclamaba a ella de continuo la presencia de su hermana. Gertrudis le replicaba que a los novios les convenía soledad.

—Pero si es al contrario, hija, si nunca he sentido más tu falta; ahora es cuando comprendo lo que te quería.

Y poníase a abrazarla y besuquearla.

—Sí, sí —le replicaba Gertrudis sonriendo gravemente—; vuestra felicidad necesita de testigos; se os acrecienta la dicha sabiendo que otros se dan cuenta de ella.

Íbase, pues, de cuando en cuando a hacerles compañía; a comer con ellos alguna vez. Su hermana le hacía las más ostentosas demostraciones de cariño, y luego a su marido, que, por su parte, aparecía como avergonzado ante su cuñada.

—Mira —llegó a decirle una vez Gertrudis a su hermana ante aquellas señales—, no te pongas así, tan babosa. No parece sino que has inventado lo del matrimonio.

Un día vio un perrito en la casa.

—Y esto ¿qué es?

—Un perro, chica, ¿no lo ves?

—¿Y cómo ha venido?

—Lo encontré ahí, en la calle, abandonado y medio muerto; me dio lástima, le traje, le di de comer, le curé y aquí le tengo —y lo acariciaba en su regazo y le daba besos en el hocico.

—Pues mira, Rosa, me parece que debes regalar el perrito, porque el que le mates me parece una crueldad.

—¿Regalarle? Y ¿por qué? Mira, Tití —y al decirlo apechugaba contra su seno al animalito—, me dicen que te eche. ¿Adónde irás tú, pobrecito?

—Vamos, vamos, no seas chiquilla y no lo tomes así. ¿A que tu marido es de mi opinión?

—¡Claro, en cuanto se lo digas! Como tú eres la sabia...

—Déjate de esas cosas y deja al perro.

—Pero ¿qué? ¿Crees que tendrá Ramiro celos?

—Nunca creí, Rosa, que el matrimonio pudiese entontecer así.

Cuando llegó Ramiro y se enteró de la pequeña disputa por lo del perro, no se atrevió a dar la razón ni a la una ni a la otra, declarando que la cosa no tenía importancia.

—No, nada la tiene y lo tiene todo, según —dijo Gertrudis—. Pero en eso hay algo de chiquillada, y aún más. Serás capaz, Rosa, de haberte traído aquella pepona que guardas desde que nos dieron dos, una a ti y a mí otra, siendo niñas, y serás capaz de haberla puesto ocupando su silla...

—Exacto; allí está, en la sala, con su mejor traje, ocupando toda una silla de respeto. ¿La quieres ver?

—Así es —asintió Ramiro.

—Bueno, ya la quitarás de allí...

—Quia, hija, la guardaré...

—Sí, para juguete de tus hijas...

—¡Qué cosas se te ocurren, Tula...! —y se arreboló.

—No, es a ti a quien se te ocurren cosas como la del perro.

—Y tú —exclamó Rosa, tratando de desasirse de aquella inquisitoria que le molestaba—, ¿no tienes también tu pepona? ¿La has dado, o deshecho acaso?

—No —respondióle resueltamente su hermana—, pero la tengo guardada.

—¡Y tan guardada que no se la he podido descubrir nunca...!

—Es que Gertrudis la guarda para sí sola —dijo Ramiro sin saber lo que decía.

—Dios sabe para qué la guardo. Es un talismán de mi niñez.

El que iba poco, poquísimo, por casa del nuevo matrimonio era el bueno de don Primitivo. «El onceno no estorbar», decía.

Corrían los días, todos iguales, en una y otra casa. Gertrudis se había propuesto visitar lo menos posible a su hermana, pero ésta venía a buscarla en cuanto pasaba un par de días sin que se viesen. «¿Pero qué, estás mala, chica? ¿O te sigue estorbando el perro? Porque si es así, mira, le echaré. ¿Por qué me dejas así, sola?»

—¿Sola, Rosa? ¿Sola? ¿Y tu marido?

—Pero él se tiene que ir a sus asuntos...

—O los inventa...

—¿Qué, es que crees que me deja aposta? ¿Es que sabes algo? ¡Dilo, Tula, por lo que más quieras, por nuestra madre, dímelo!

—No; es que os aburrís de vuestra felicidad y de vuestra soledad. Ya le echarás el perro o si no te darán antojos, y será peor.

—No digas esas cosas.

—Te darán antojos —replicó con más firmeza.

Y cuando al fin fue un día a decirle que había regalado el perrito, Gertrudis, sonriendo gravemente y acariciándola como a una niña, le preguntó al oído: «Por miedo a los antojos, ¿eh?» Y al oír en respuesta un susurrado «¡sí!», abrazó a su hermana con una efusión de que ésta no la creía capaz.

—Ahora va de veras, Rosa; ahora no os aburriréis de la felicidad ni de la soledad y tendrá varios asuntos tu marido. Esto era lo que os faltaba...

—Y acaso lo que te faltaba... ¿No es así, hermanita?

—¿Y a ti quién te ha dicho eso?

—Mira, aunque soy tan tonta, como he vivido siempre contigo...

—¡Bueno, déjate de bromas!

Y desde entonces empezó Gertrudis a frecuentar más la casa de su hermana.

IV

En el parto de Rosa, que fue durísimo, nadie estuvo más serena y valerosa que Gertrudis. Creeríase que era una veterana en asistir a trances tales. Llegó a haber peligro de muerte para la madre o la cría que hubiera de salir, y el médico llegó a hablar de sacársela viva o muerta.

—¿Muerta? —exclamó Gertrudis—; ¡eso sí que no!

—¿Pero no ve usted —exclamó el médico— que aunque se muera el crío queda la madre para hacer otros, mientras que si se muere ella no es lo mismo?

Pasó rápidamente por el magín de Gertrudis replicarle que quedaban otras madres, pero se contuvo e insistió:

—Muerta, ¡no!, ¡nunca! Y hay, además, que salvar un alma.

La pobre parturienta ni se enteraba de cosa alguna. Hasta que, rendida al combate, dio a luz un niño.

Recogiólo Gertrudis con avidez, y como si nunca hubiera hecho otra cosa, lo lavó y envolvió en sus pañales.

—Es usted comadrona de nacimiento —le dijo el médico.

Tomó la criaturita y se la llevó a su padre, que en un rincón, aterrado y como contrito de una falta, aguardaba la noticia de la muerte de su mujer.

—¡Aquí tienes tu primer hijo, Ramiro; mírale qué hermoso!

Pero al levantar la vista el padre, libre del peso de su angustia, no vio sino los ojazos de su cuñada, que irradiaban una luz nueva, más negra, pero más brillante que la de antes. Y al ir a besar a aquel rollo de carne que le presentaban como su hijo, rozó su mejilla, encendida, con la de Gertrudis.

—Ahora —le dijo tranquilamente ésta— ve a dar las gracias a tu mujer, a pedirle perdón y a animarla.

—¿A pedirle perdón?

—Sí, a pedirle perdón.

—¿Y por qué?

—Yo me entiendo y ella te entenderá. Y en cuanto a éste —y al decirlo apretábalo contra su seno palpitante— corre ya de mi cuenta, y a poco he de poder o haré de él un hombre.

La casa le daba vueltas en derredor a Ramiro. Y del fondo de su alma salíale una voz diciendo: «¿Cuál es la madre?»

Poco después ponía Gertrudis cuidadosamente el niño al lado de la madre, que parecía dormir extenuada y con la cara blanca como la nieve. Pero Rosa entreabrió los ojos y se encontró con los de su hermana. Al ver a ésta, una corriente de ánimo recorrió el cuerpo todo victorioso de la nueva madre.

—¡Tula! —gimió.

—Aquí estoy, Rosa, aquí estaré. Ahora descansa. Cuando sea, le das de mamar a este crío para que se calle. De todo lo demás no te preocupes.

—Creí morirme, Tula, aun ahora me parece que sueño muerta. Y me daba tanta pena de Ramiro...

—Cállate. El médico ha dicho que no hables mucho. El pobre Ramiro estaba más muerto que tú. ¡Ahora, ánimo, y a otra!

La enferma sonrió tristemente.

—Éste se llamará Ramiro, como su padre —decretó luego Gertrudis en pequeño consejo de familia—, y la otra, porque la siguiente será niña, Gertrudis como yo.

—¿Pero ya estás pensando en otra —exclamó don Primitivo— y tu pobre hermana de por poco se queda en el trance?

—¿Y qué hacer? —replicó ella—; ¿para qué se han casado si no? ¿No es así, Ramiro? —y le clavó los ojos.

—Ahora lo que importa es que se reponga —dijo el marido sobrecogiéndose bajo aquella mirada.

—¡Bah!, de estas dolencias se repone una mujer pronto.

—Bien dice el médico, sobrina, que parece como si hubieras nacido comadrona.

—Toda mujer nace madre, tío.

Y lo dijo con tan íntima solemnidad casera, que Ramiro se sintió presa de un indefinible desasosiego y de un extraño remordimiento. «¿Querré yo a mi mujer como se merece?», se decía.

—Y ahora, Ramiro —le dijo su cuñada—, ya puedes decir que tienes mujer.

Y a partir de entonces, no faltó Gertrudis un solo día de casa de su hermana. Ella era quien desnudaba y vestía y cuidaba al niño hasta que su madre pudiera hacerlo.

La cual se repuso muy pronto y su hermosura se redondeó más. A la vez extremó sus ternuras para con su marido y aun llegó a culparle de que se le mostraba esquivo.

—Temí por tu vida —le dijo su marido— y estaba aterrado. Aterrado y desesperado y lleno de remordimiento.

—Remordimiento, ¿por qué?

—¡Si llegas a morirte me pego un tiro!

—¡Quia!, ¿a qué? «Cosas de hombres», que diría Tula. Pero eso ya pasó y ya sé lo que es.

—¿Y no has quedado escarmentada, Rosa?

—¿Escarmentada? —y cogiendo a su marido, echándole los brazos al cuello, apechugándole fuertemente a sí, le dijo al oído con un aliento que se lo quemaba—: ¡A otra, Ramiro, a otra! ¡Ahora sí que te quiero! ¡Y aunque me mates!

Gertrudis en tanto arrullaba al niño, celosa de que no se percatase —¡inocente!— de los ardores de sus padres.

Era como una preocupación en la tía de ir sustrayendo al niño, ya desde su más tierna edad de inconsciencia, de conocer, ni en las más leves y remotas señales, el amor de que había brotado. Colgóle al cuello, desde luego, una medalla de la Santísima Virgen, de la Virgen Madre, con su Niño en brazos.

Con frecuencia, cuando veía que su hermana, la madre, se impacientaba en acallar al niño o al envolverlo en sus pañales, le decía:

—Dámelo, Rosa, dámelo, y vete a entretener a tu marido.

—Pero, Tula...

—Sí, tú tienes que atender a los dos y yo sólo a éste.

—Tienes, Tula, una manera de decir las cosas...

—No seas niña, ¡ea!, que eres ya toda una señora mamá. Y da gracias a Dios que podamos así repartirnos el trabajo.

—Tula... Tula...

—Ramiro... Ramiro... Rosa.

La madre se amoscaba, pero iba a su marido.

Y así pasaba el tiempo y llegó otra cría, una niña.

V

A poco de nacer la niña encontraron un día muerto al bueno de don Primitivo. Gertrudis le amortajó después de haberle lavado —quería que fuese limpio a la tumba— con el mismo esmero con que había envuelto en pañales a sus sobrinos recién nacidos. Y a solas en el cuarto con el cuerpo del buen anciano, le lloró como no se creyera capaz de hacerlo. «Nunca habría creído que le quisiese tanto —se dijo—; era un bendito; de poco llega a hacerme creer que soy un pozo de prudencia; ¡era tan sencillo!»

—Fue nuestro padre —le dijo a su hermana— y jamás le oímos una palabra más alta que otra.

—¡Claro! —exclamó Rosa—; como que siempre nos dejó hacer nuestra santísima voluntad.

—Porque sabía, Rosa, que su sola presencia santificaba nuestra voluntad. Fue nuestro padre; él nos educó. Y para educarnos le bastó la trasparencia de su vida, tan sencilla, tan clara...

—Es verdad, sí —dijo Rosa con los ojos henchidos de lágrimas—; como sencillo no he conocido otro.

—Nos habría sido imposible, hermana, habernos criado en un hogar más limpio que éste.

—¿Qué quieres decir con eso, Tula?

—Él nos llenó la vida casi silenciosamente, casi sin

decirnos palabra, con el culto de la Santísima Virgen
Madre y con el culto también de nuestra madre, su
hermana, y de nuestra abuela, su madre. ¿Te acuerdas cuando por las noches nos hacía rezar el rosario,
cómo le cambiaba la voz al llegar a aquel padrenuestro y avemaría por el eterno descanso del alma de
nuestra madre, y luego aquellos otros por el de su
madre, nuestra abuela, a las que no conocimos? En
aquel rosario nos daba madre y en aquel rosario te
enseñó a serlo.

—¡Y a ti, Tula, a ti! —exclamó entre sollozos
Rosa.

—¿A mí?

—¡A ti, sí, a ti! ¿Quién, si no, es la verdadera madre
de mis hijos?

—Deja ahora eso. Y ahí le tienes, un santo silen-
cioso. Me han dicho que las pobres beatas lloraban
algunas veces al oírle predicar sin percibir ni una sola
de sus palabras. Y lo comprendo. Su voz sola era un
consejo de serenidad amorosa. ¡Y ahora, Rosa, el
rosario!

Arrodilláronse las dos hermanas al pie del lecho
mortuorio de su tío y rezaron el mismo rosario que
con él habían rezado durante tantos años, con dos
padrenuestros y avemarías por el eterno descanso de
las almas de su madre y de la del que yacía allí
muerto, a que añadieron otro padrenuestro y otra
avemaría por el alma del recién bienaventurado. Y
las lenguas de manso y dulce fuego de los dos cirios
que ardían a un lado y otro del cadáver, haciendo
brillar su frente, tan blanca como la cera de ellos,
parecían, vibrando al compás del rezo, acompañar
en sus oraciones a las dos hermanas. Una paz
entrañable irradiaba de aquella muerte. Levantá-
ronse del suelo las dos hermanas, la pareja; besa-
ron, primero Gertrudis y Rosa después, la frente
cérea del anciano y abrazáronse luego con los ojos ya
enjutos.

—Y ahora —le dijo Gertrudis a su hermana al oído— a querer mucho a tu marido, a hacerle dichoso y... ¡a darnos muchos hijos!

—Y ahora —le respondió Rosa— te vendrás a vivir con nosotros, por supuesto.

—¡No, eso no! —exclamó súbitamente la otra.

—¿Cómo que no? Y lo dices de un modo...

—Sí, sí, hermana; perdóname la viveza, perdónamela, ¿me la perdonas? —e hizo mención, ante el cadáver, de volver a arrodillarse.

—Vaya, no te pongas así, Tula, que no es para tanto. Tienes unos prontos...

—Es verdad, pero me los perdonas, ¿no es verdad, Rosa?, me los perdonas.

—Eso ni se pregunta. Pero te vendrás con nosotros...

—No insistas, Rosa, no insistas...

—¿Qué? ¿No te vendrás? Dejarás a tus sobrinos, más bien tus hijos casi...

—Pero si no los he dejado un día...

—¿Te vendrás?

—Lo pensaré, Rosa, lo pensaré...

—Bueno, pues no insisto.

Pero a los pocos días insistió, y Gertrudis se defendía.

—No, no; no quiero estorbaros...

—¿Estorbarnos? ¿Qué dices, Tula?

—Los casados casa quieren.

—¿Y no puede ser la tuya también?

—No, no; aunque tú no lo creas, yo os quitaría libertad. ¿No es así, Ramiro?

—No..., no veo... —balbuceó el marido, confuso, como casi siempre le ocurría ante la inesperada interpelación de su cuñada.

—Sí, Rosa; tu marido, aunque no lo dice, comprende que un matrimonio, y más un matrimonio joven como vosotros y en plena producción, necesita estar solo. Yo, la tía, vendré a mis horas a ir ense-

ñando a vuestros hijos todo aquello en que no podáis
ocuparos.

Y allá seguía yendo, a las veces desde muy tempra-
no, encontrándose con el niño ya levantado, pero no
así sus padres. «Cuando digo que hago yo aquí
falta», se decía.

VI

Venía ya el tercer hijo al matrimonio. Rosa empezaba a quejarse de su fecundidad. «Vamos a cargarnos de hijos», decía. A lo que su hermana: «¿Pues para qué os habéis casado?»

El embarazo fue molestísimo para la madre y tenía que descuidar más que antes a sus otros hijos, que así quedaban al cuidado de su tía, encantada de que se los dejasen. Y hasta consiguió llevárselos más de un día a su casa, a su solitario hogar de soltera, donde vivía con la vieja criada que fue de don Primitivo, y donde los retenía. Y los pequeñuelos se apegaban con ciego cariño a aquella mujer severa y grave.

Ramiro, malhumorado antes en los últimos meses de los embarazos de su mujer, malhumor que desasosegaba a Gertrudis, ahora lo estaba más.

—¡Qué pesado y molesto es esto! —decía.

—¿Para ti? —le preguntaba su cuñada sin levantar los ojos del sobrino o sobrina que de seguro tenía en el regazo.

—Para mí, sí. Vivo en perpetuo sobresalto, temiéndolo todo.

—¡Bah! No será al fin nada. La Naturaleza es sabia.

—Pero tantas veces va el cántaro a la fuente...

—¡Ay, hijo, todo tiene sus riesgos y todo estado sus contrariedades!

Ramiro se sobrecogía al oírse llamar hijo por su

cuñada, que rehuía darle su nombre, mientras él, en cambio, se complacía en llamarla por el familiar Tula.

—¡Qué bien has hecho en no casarte, Tula!

—¿De veras? —y levantando los ojos se los clavó en los suyos.

—De veras, sí. Todo son trabajos y aun peligros...

—¿Y sabes tú acaso si no me he de casar todavía?

—Claro. ¡Lo que es por la edad!

—¿Pues por qué ha de quedar?

—Como no te veo con afición a ello...

—¿Afición a casarse? ¿Qué es eso?

—Bueno; es que...

—Es que no me ves buscar novio, ¿no es eso?

—No, no es eso.

—Sí, eso es.

—Si tú los aceptaras, de seguro que no te habrían faltado...

—Pero yo no puedo buscarlos. No soy hombre, y la mujer tiene que esperar y ser elegida. Y yo, la verdad, me gusta elegir, pero no ser elegida.

—¿Qué es eso de que estáis hablando? —dijo Rosa acercándose y dejándose caer abatida en un sillón.

—Nada; discreteos de tu marido sobre las ventajas e inconvenientes del matrimonio.

—¡No hables de eso, Ramiro! Vosotros los hombres apenas sabéis de eso. Somos nosotras las que nos casamos, no vosotros.

—¡Pero, mujer!

—Anda, ven, sosténme, que apenas puedo tenerme en pie. Voy a echarme. Adiós, Tula. Ahí te los dejo.

Acercóse a ella su marido; le tomó del brazo con sus dos manos y se incorporó y levantó trabajosamente; luego, tendiéndole un brazo por el hombro, doblando su cabeza hasta casi darle en éste con ella y cogiéndole con la otra mano, con la diestra de su diestra, se fue lentamente, así apoyada en él y gimoteando. Gertrudis, teniendo a cada uno de sus sobri-

nos en sus rodillas, se quedó mirando la marcha
trabajosa de su hermana, colgada de su marido como
una enredadera de su rodrigón. Llenáronsele los
grandes ojazos, aquellos ojos de luto, serenamente
graves, gravemente serenos, de lágrimas, y apretando
a su seno a los dos pequeños, apretó sus mejillas a
cada una de las de ellos. Y el pequeñito, Ramirín, al
ver llorar a su tía, a tita Tula, se echó a llorar
también.

—Vamos, no llores; vamos a jugar.

De este tercer parto quedó quebrantadísima Rosa.

—Tengo malos presentimientos, Tula.

—No hagas caso de agüeros.

—No es agüero; es que siento que se me va la vida;
he quedado sin sangre.

—Ella volverá.

—Por de pronto, ya no puedo criar este niño. Y
eso de las amas, Tula, ¡eso me aterra!

Y así era, en verdad. En pocos días cambiaron tres.
El padre estaba furioso y hablaba de tratarlas a
latigazos. Y la madre decaía.

—¡Esto se va! —pronunció un día el médico.

Ramiro vagaba por la casa como atontado, presa
de extraños remordimientos y de furias súbitas. Una
tarde llegó a decir a su cuñada:

—Pero es que esta Rosa no hace nada por vivir; se
le ha metido en la cabeza que tiene que morirse y ¡es
claro!, así se morirá. ¿Por qué no le animas y le
convences a que viva?

—Eso tú, hijo; tú, su marido. Si tú no le infundes
apetito de vivir, ¿quién va a infundírselo? Porque sí,
no es lo peor lo débil y exangüe que está; lo peor es
que no piensa sino en morirse. Ya ves, hasta los
chicos la cansan pronto. Y apenas si pregunta por las
cosas del ama.

Y era que la pobre Rosa vivía como en sueños, en
un constante mareo, viéndolo todo como a través de
una niebla.

Una tarde llamó a solas a su hermana y en frases entrecortadas, con un hilito de voz febril, le dijo cogiéndole la mano:

—Mira, Tula, yo me muero y me muero sin remedio. Ahí te dejo mis hijos, los pedazos de mi corazón, y ahí te dejo a Ramiro, que es como otro hijo. Créeme que es otro niño, un niño grande y antojadizo, pero bueno, más bueno que el pan. No me ha dado ni un solo disgusto. Ahí te los dejo, Tula.

—Descuida, Rosa; conozco mis deberes.

—Deberes..., deberes...

—Sí, sé mis amores. A tus hijos no les faltará madre mientras yo viva.

—Gracias, Tula, gracias. Eso quería de ti.

—Pues no lo dudes.

—¡Es decir que mis hijos, los míos, los pedazos de mi corazón, no tendrán madrastra!

—¿Qué quieres decir con eso, Rosa?

—Que como Ramiro volverá a pensar en casarse..., es lo natural..., tan joven... y yo sé que no podrá vivir sin mujer, lo sé..., pues que...

—¿Qué quieres decir?

—Que serás tú su mujer, Tula.

—Yo no te he dicho eso, Rosa, y ahora, en este momento, no puedo, ni por piedad, mentir. Yo no te he dicho que me casaré con tu marido si tú le faltas; yo te he dicho que a tus hijos no les faltará madre...

—No, tú me has dicho que no tendrán madrastra.

—¡Pues bien, sí, no tendrán madrastra!

—Y eso no puede ser sino casándote tú con mi Ramiro, y mira, no tengo celos, no. ¡Si ha de ser de otra, que sea tuyo! Que sea tuyo. Acaso...

—¿Y por qué ha de volver a casarse?

—¡Ay, Tula, tú no conoces a los hombres! Tú no conoces a mi marido...

—No, no le conozco.

—¡Pues yo sí!

—Quién sabe...

—La pobre enferma se desvaneció.

Poco después llamaba a su marido. Y al salir éste del cuarto iba desencajado y pálido como un cadáver.

La Muerte afilaba su guadaña en la piedra angular del hogar de Rosa y Ramiro, y mientras la vida de la joven madre se iba en rosario de gotas, destilando, había que andar a la busca de una nueva ama de cría para el pequeñito, que iba rindiéndose también de hambre. Y Gertrudis, dejando que su hermana se adormeciese en la cuna de una agonía lenta, no hacía sino agitarse en busca de un seno próvido para su sobrinito. Procuraba irle engañando el hambre, sosteniéndole a biberón.

—¿Y esa ama?

—¡Hasta mañana no podrá venir, señorita!

—Mira, Tula —empezó Ramiro.

—¡Déjame! ¡Déjame! ¡Vete al lado de tu mujer, que se muere de un momento a otro; vete que allí es tu puesto, y déjame con el niño!

—Pero, Tula...

—Déjame, te he dicho. Vete a verla morir; a que entre en la otra vida en tus brazos; ¡vete! ¡Déjame!

Ramiro se fue. Gertrudis tomó a su sobrinillo, que no hacía sino gemir; encerróse con él en un cuarto y sacando uno de sus pechos secos, uno de sus pechos de doncella, que arrebolado todo él le retemblaba como con fiebre, le retemblaba por los latidos del corazón —era el derecho—, puso el botón de ese pecho en la flor sonrosada pálida de la boca del pequeñuelo. Y éste gemía más estrujando entre sus pálidos labios el conmovido pezón seco.

—Un milagro, Virgen Santísima —gemía Gertrudis con los ojos velados por las lágrimas—; un milagro, y nadie lo sabrá, nadie.

Y apretaba como una loca al niño a su seno.

Oyó pasos y luego que intentaban abrir la puerta. Metióse el pecho, lo cubrió, se enjugó los ojos y salió a abrir. Era Ramiro, que le dijo:

—¡Ya acabó!

—Dios la tenga en su gloria. Y ahora, Ramiro, a cuidar de éstos.

—¿A cuidar? Tú..., tú..., porque sin ti...

—Bueno; ahora a criarlos, te digo.

VII

Ahora, ahora que se había quedado viudo, era cuando Ramiro sentía todo lo que sin él siquiera sospecharlo había querido a Rosa, su mujer. Uno de sus consuelos, el mayor, era recogerse en aquella alcoba en que tanto habían vivido amándose y repasar su vida de matrimonio.

Primero el noviazgo, aquel noviazgo, aunque no muy prolongado, de lento reposo, en que Rosa parecía como que le hurtaba el fondo del alma siempre, y como si por acaso no la tuviese o haciéndole pensar que no la conocería hasta que fuese suya del todo y por entero; aquel noviazgo de recato y de reserva, bajo la mirada de Gertrudis, que era todo alma. Repasaba en su mente Ramiro, lo recordaba bien, cómo la presencia de Gertrudis, la tía Tula de sus hijos, le contenía y desasosegaba, cómo ante ella no se atrevía a soltar ninguna de esas obligadas bromas entre novios, sino a medir sus palabras.

Vino luego la boda y la embriaguez de los primeros meses, de las lunas de miel; Rosa iba abriéndole el espíritu, pero era éste tan sencillo, tan trasparente, que cayó en la cuenta Ramiro de que no le había velado ni recatado nada. Porque su mujer vivía con el corazón en la mano y extendía ésta en gesto de oferta, y con las entrañas espirituales al aire del mundo, entregada por entero al cuidado del momento, como viven las rosas del campo y las alondras del cielo. Y era a la vez el espíritu de Rosa como un reflejo del de su hermana, como el agua corriente al sol de que aquél era el manantial cerrado.

Llegó, por fin, una mañana en que se le desprendieron a Ramiro las escamas de la vista y, purificada ésta, vio claro con el corazón. Rosa no era una hermosura cual él se había creído y antojado, sino una figura vulgar, pero con todo el más dulce encanto de la vulgaridad recogida y mansa; era como el pan de cada día, como el pan casero y cotidiano, y no un raro manjar de turbadores jugos. Su mirada, que sembraba paz, su sonrisa, su aire de vida, eran encarnación de un ánimo sedante, sosegado y doméstico. Tenía su pobre mujer algo de planta en la silenciosa mansedumbre, en la callada tarea de beber y atesorar luz con los ojos y derramarla luego convertida en paz; tenía algo de planta en aquella fuerza velada y a la vez poderosa con que de continuo, momento tras momento, chupaba jugos de las entrañas de la vida común ordinaria y en la dulce naturalidad con que abría sus perfumadas corolas.

¡Qué de recuerdos! Aquellos juegos cuando la pobre se le escapaba y la perseguía él por la casa toda fingiendo un triunfo para cobrar como botín besos largos y apretados, boca a boca; aquel cogerle la cara con ambas manos y estarse en silencio mirándole al alma por los ojos y, sobre todo, cuando apoyaba el oído sobre el pecho de ella, ciñéndole con los brazos el talle, y escuchándole la marcha tranquila del corazón le decía: «¡Calla, déjale que hable!»

Y las visitas de Gertrudis, que con su cara grave y sus grandes ojazos de luto a que se asomaba un espíritu embozado, parecía decirles: «Sois unos chiquillos que cuando no os veo estáis jugando a marido y mujer; no es ésa la manera de prepararse a criar hijos, pues el matrimonio se instituyó para casar, dar gracia a los casados y que críen hijos para el cielo.»

¡Los hijos! Ellos fueron sus primeras grandes medi-
taciones. Porque pasó un mes y otro y algunos más, y
al no notar señal ni indicio de que hubiese fructifica-
do aquel amor, «¿tendría razón —decíase entonces—
Gertrudis? ¿Sería verdad que no estaban sino jugando a marido y mujer y sin querer, con la fuerza toda
de la fe en el deber, el fruto de la bendición del amor
justo?» Pero lo que más le molestaba entonces,
recordábalo bien ahora, era lo que pensarían los
demás, pues acaso hubiese quien le creyera a él, por
eso de no haber podido hacer hijos, menos hombre
que otros. ¿Por qué no había de hacer él, y mejor, lo
que cualquier mentecato, enclenque y apocado hace?
Heríale en su amor propio; habría querido que su
mujer hubiese dado a luz a los nueve meses justos y
cabales de haberse ellos casado. Además, eso de tener
hijos o no tenerlos debía de depender —decíase
entonces— de la mayor o menor fuerza de cariño que
los casados se tengan, aunque los hay enamoradísi-
mos uno de otro y que no dan fruto, y otros,
ayuntados por conveniencias de fortuna y ventura,
que se cargan de críos. Pero —y esto sí que lo
recordaba bien ahora— para explicárselo había fra-
guado su teoría, y era que hay un amor aparente y
consciente, de cabeza, que puede mostrarse muy
grande y ser, sin embargo, infecundo, y otro sustan-
cial y oculto, recatado aun al propio conocimiento de
los mismos que lo alimentan, un amor del alma y el
cuerpo enteros y justos, amor fecundo siempre. ¿No
querría él lo bastante a Rosa o no le querría lo
bastante Rosa a él? Y recordaba ahora cómo había
tratado de descifrar el misterio mientras la envolvía
en besos, a solas, en el silencio y oscuro de la noche y
susurrándola una y otra vez al oído, en letanía, un
rosario de: «¿Me quieres, me quieres, Rosa?», mientras a ella se la escapaban síes desfallecidos. Aquello fue una locura, una necia locura, de la que se
avergonzaba apenas veía entrar a Gertrudis derra-

mando serena seriedad en torno, y de aquello le curó
la sazón del amor cuando le fue anunciado el hijo.
Fue un transporte loco..., ¡había vencido! Y entonces
fue cuando vino, con su primer fruto, el verdadero
amor.

El amor, sí. ¿Amor? ¿Amor dicen? ¿Qué saben de él
todos esos escritores amatorios, que no amorosos,
que de él hablan y quieren excitarlo en quien los lee?
¿Qué saben de él los galeotos de las letras? ¿Amor?
No amor, sino mejor cariño. Eso de amor —decíase
Ramiro ahora— sabe a libro; sólo en el teatro y en
las novelas se oye el *yo te amo;* en la vida de carne y
sangre y hueso el entrañable *¡te quiero!* y el más
entrañable aún callárselo. ¿Amor? No, ni cariño
siquiera, sino algo sin nombre y que no se dice por
confundirse ello con la vida misma. Los más de los
cantores amatorios saben de amor lo que de oración
los masculla-jaculatorias, traga-novenas y engulle-ro-
sarios. No, la oración no es tanto algo que haya de
cumplirse a tales o cuales horas, en sitio apartado y
recogido y en postura compuesta, cuanto es un modo
de hacerlo todo votivamente, con toda el alma y
viviendo en Dios. Oración ha de ser el comer, y el
beber, y el pasearse, y el jugar, y el leer, y el escribir, y
el conversar, y hasta el dormir, y rezo todo, y nuestra
vida un continuo y mudo «¡hágase tu voluntad!», y
un incesante «¡venga a nos el tu reino!», no ya
pronunciados, mas ni aun pensados siquiera, sino
vividos. Así oyó de la oración una vez Ramiro a un
santo varón religioso que pasaba por maestro de ella,
y así lo aplicó él al amor luego. Pues el que profesara
a su mujer y a ella le apegaba veía bien ahora en que
ella se le fue, que se le llegó a fundir con el rutinero
andar de la vida diaria, que lo había respirado en las
mil naderías y frioleras del vivir doméstico, que le fue
como el aire que se respira y al que no se le siente
sino en momentos de angustioso ahogo, cuando nos
falta. Y ahora ahogábase Ramiro, y la congoja de su

viudez reciente le revelaba todo el poderío del amor pasado y vivido.

Al principio de su matrimonio fue, sí, el imperio del deseo; no podía juntar carne con carne sin que la suya se le encendiese y alborotase y empezara a martillarle el corazón, pero era porque la otra no era aún de veras y por entero suya también; pero luego, cuando ponía su mano sobre la carne desnuda de ella, era como si en la propia la hubiese puesto, tan tranquilo se quedaba; mas también si se la hubiesen cortado habríale dolido como si se la cortaran a él. ¿No sintió acaso en sus entrañas los dolores de los partos de su Rosa?

Cuando la vio gozar, sufriendo al darle su primer hijo, es cuando comprendió cómo es el amor más fuerte que la vida y que la muerte, y domina la discordia de éstas; cómo el amor hace morirse a la vida y vivir la muerte; cómo él vivía ahora la muerte de su Rosa y se moría en su propia vida. Luego, al ver al niño dormido y sereno, con los labios en flor entreabiertos, vio al amor hecho carne que vive. Y allí, sobre la cuna, contemplando a su fruto, traía a sí a la madre, y mientras el niño sonreía en sueños palpitando sus labios, besaba él a Rosa en la corola de sus labios frescos y en la fuente de paz de sus ojos. Y le decía mostrándole dos dedos de la mano: «¡Otra vez, dos, dos...!» Y ella: «¡No, no, ya no más, uno y no más!» Y se reía. Y él: «¡Dos, dos, me ha entrado el capricho de que tengamos dos melguizos, una parejita, niño y niña!» Y cuando ella volvió a quedarse encinta, a cada paso y tropezón, él: «¡Qué cargado viene eso! ¡Qué granazón! ¡Me voy a salir con la mía; por lo menos dos!» «¡Uno, el último, y basta!», replicaba ella riendo. Y vino el segundo, la niña, Tulita, y luego que salió con vida, cuando descansaba la madre, la besó larga y apretadamente en la boca, como en premio, diciéndose: «¡Bien has trabajado, pobrecilla!»; mientras Rosa, vencedora de la muerte y de la vida, sonreía con los domésticos ojos apacibles.

¡Y murió!; aunque pareciese mentira, se murió. Vino la tarde terrible del combate último. Allí estuvo Gertrudis, mientras el cuidado de la pobrecita niña que desfallecía de hambre se lo permitió, sirviendo medicinas inútiles, componiendo la cama, animando a la enferma, encorazonando a todos. Tendida en el lecho que había sido campo de donde brotaron tres vidas, llegó a faltarle el habla y las fuerzas, y cogida de la mano a la mano de su hombre, del padre de sus hijos, mirábale como el navegante, al ir a perderse en el mar sin orillas, mira al lejano promontorio, lengua de la tierra nativa, que se va desvaneciendo en la lontananza y junto al cielo; en los trances del ahogo miraban sus ojos, desde el borde la eternidad, a los ojos de su Ramiro. Y parecía aquella mirada una pregunta desesperada y suprema, como si a punto de partirse para nunca más volver a tierra, preguntase por el oculto sentido de la vida. Aquellas miradas de congoja reposada, de acongojado reposo, decían: «Tú, tú que eres mi vida, tú que conmigo has traído al mundo nuevos mortales, tú que me has sacado tres vidas, tú, mi hombre, dime, ¿esto qué es?» Fue una tarde abismática. En momentos de tregua, teniendo Rosa entre sus manos, húmedas y febriles, las manos temblorosas de Ramiro, clavados en los ojos de éste sus ojos henchidos de cansancio de vida, sonreía tristemente, volviéndolos luego al niño, que dormía allí cerca, en su cunita, y decía con los ojos, y alguna vez con un hilito de voz: «¡No despertarle, no! ¡Que duerma, pobrecillo! ¡Que duerma..., que duerma hasta hartarse, que duerma!» Llególe por último el supremo trance, el del tránsito, y fue como si en el brocal de las eternas tinieblas, suspendida sobre el abismo, se aferrara a él, a su hombre, que vacilaba sintiéndose arrastrado. Quería abrirse con las uñas la garganta la pobre, mirábale despavorida, pidiéndole

con los ojos aire; luego, con ellos le sondó el fondo
del alma, y soltando su mano cayó en la cama donde
había concebido y parido sus tres hijos. Descansaron
los dos; Ramiro, aturdido, con el corazón acorchado,
sumergido como en un sueño sin fondo y sin desper-
tar, muerta el alma, mientras dormía el niño. Gertrudis fue quien, viniendo con la pequeñita al pecho,
cerró luego los ojos a su hermana, la compuso un
poco y fuese después a cubrir y arropar mejor al niño
dormido, y trasladarle en un beso la tibieza que con
otro recogió de la vida que aún tendía sus últimos
jirones sobre la frente de la rendida madre.

Pero, ¿murió acaso Rosa? ¿Se murió de veras?
¿Podía haberse muerto viviendo él, Ramiro? No; en
sus noches, ahora solitarias, mientras se dormía solo
en aquella cama de la muerte y de la vida y del amor,
sentía a su lado el ritmo de su respiración, su calor
tibio, aunque con una congojosa sensación de vacío.
Y tendía la mano, recorriendo con ella la otra mitad
de la cama, apretándola algunas veces. Y era lo peor
que, cuando recogiéndose se ponía a meditar en ella,
no se le ocurrieran sino cosas de libro, cosas de amor
de libro y no de cariño de vida, y le escocía que aquel
robusto sentimiento, vida de su vida y aire de su
espíritu, no se le cuajara más que en abstractas
lucubraciones. El dolor se le espiritualizaba, vale
decir que se le intelectualizaba, y sólo cobraba carne,
aunque fuera vaporosa, cuando entraba Gertrudis. Y
de todo esto sacábale una de aquellas vocecitas fres-
cas que piaba: «¡Papá!» Ya estaba, pues, allí, ella, la
muerta inmortal. Y luego, la misma vocecita: «¡Mamá!» Y la de Gertrudis, gravemente dulce, respondía:
«¡Hijo!»

No, Rosa, su Rosa, no se había muerto, no era
posible que se le hubiese muerto; la mujer estaba allí,
tan viva como antes, y derramando vida en torno; la
mujer no podía morir.

VIII

Gertrudis, que se había instalado en casa de su hermana desde que ésta dio por última vez a luz y durante su enfermedad última, le dijo un día a su cuñado:

—Mira, voy a levantar mi casa.

El corazón de Ramiro se puso al galope.

—Sí —añadió ella—, tengo que venir a vivir con vosotros y a cuidar de los chicos. No se le puede, además, dejar aquí sola a esa buena pécora del ama.

—Dios te lo pague, Tula.

—Nada de Tula, ya te lo tengo dicho; para ti soy Gertrudis.

—¿Y qué más da?

—Yo lo sé.

—Mira, Gertrudis...

—Bueno, voy a ver qué hace el ama.

A la cual vigilaba sin descanso. No le dejaba dar el pecho al pequeñito delante del padre de éste, y le regañaba por el poco recato y mucha desenvoltura con que se desabrochaba el seno.

—Si no hace falta que enseñes eso así; en el niño es en quien hay que ver si tienes o no leche abundante.

Ramiro sufría y Gertrudis le sentía sufrir.

—¡Pobre Rosa! —decía de continuo.

—Ahora los pobres son los niños y es en ellos en quienes hay que pensar...

—No basta, no. Apenas descanso. Sobre todo por

las noches la soledad me pesa; las hay que las paso en vela.

—Sal después de cenar, como salías de casado últimamente, y no vuelvas a casa hasta que sientas sueño. Hay que acostarse con sueño.

—Pero es que siento un vacío...

—¿Vacío teniendo hijos?

—Pero ella es insustituible...

—Así lo creo... Aunque vosotros los hombres...

—No creí que la quería tanto...

—Así nos pasa de continuo. Así me pasó con mi tío y así me ha pasado con mi hermana, con tu Rosa. Hasta que ha muerto tampoco yo he sabido lo que la quería. Lo sé ahora en que cuido a sus hijos, a vuestros hijos. Y es que queremos a los muertos en los vivos...

—¿Y no, acaso, a los vivos en los muertos...?

—No sutilicemos.

Y por las mañanas, luego de haberse levantado Ramiro, iba su cuñada a la alcoba y abría de par en par las hojas del balcón diciéndose: «Para que se vaya el olor a hombre.» Y evitaba luego encontrarse a solas con su cuñado, para lo cual llevaba siempre algún niño delante.

Sentada en la butaca en que solía sentarse la difunta, contemplaba los juegos de los pequeñuelos.

—Es que yo soy chico y tú no eres más que chica —oyó que le decía un día, con su voz de trapo, Ramirín a su hermanita.

—Ramirín, Ramirín —le dijo la tía—, ¿qué es eso? ¿Ya empiezas a ser bruto, a ser hombre?

Un día llegó Ramiro, llamó a su cuñada y le dijo:

—He sorprendido tu secreto, Gertrudis.

—¿Qué secreto?

—Las relaciones que llevabas con Ricardo, mi primo.

—Pues bien, sí es cierto; se empeñó, me hostigó, no me dejaba en paz, y acabó por darme lástima.

—Y tan oculto que lo teníais...

—¿Para qué declararlo?

—Y sé más.

—¿Qué es lo que sabes?

—Que le has despedido.

—También es cierto.

—Me ha enseñado él mismo tu carta.

—¿Cómo? No le creía capaz de eso. Bien he hecho en dejarle: ¡hombre al fin!

Ramiro, en efecto, había visto una carta de su cuñada a Ricardo, que decía así:

«Mi querido Ricardo: No sabes bien qué días tan malos estoy pasando desde que murió la pobre Rosa. Estos últimos han sido terribles y no he cesado de pedir a la Virgen Santísima y a su Hijo que me diesen fuerzas para ver claro en mi porvenir. No sabes bien con cuánta pena te lo digo, pero no pueden continuar nuestras relaciones; no puedo casarme. Mi hermana me sigue rogando desde el otro mundo que no abandone a sus hijos y que les haga de madre. Y puesto que tengo estos hijos a que cuidar, no debo ya casarme. Perdóname, Ricardo, perdónamelo, por Dios, y mira bien por qué lo hago. Me cuesta mucha pena porque sé que habría llegado a quererte y, sobre todo, porque sé lo que me quieres y lo que sufrirás con esto. Siento en el alma causarte esta pena, pero tú, que eres bueno, comprenderás mis deberes y los motivos de mi resolución y encontrarás otra mujer que no tenga mis obligaciones sagradas y que te pueda hacer más feliz que yo habría podido hacerte. Adiós, Ricardo, que seas feliz y hagas felices a otros, y ten por seguro que nunca, nunca te olvidará

GERTRUDIS.»

—Y ahora —añadió Ramiro—, a pesar de esto Ricardo quiere verte.

—¿Es que yo me oculto acaso?

—No, pero...

—Dile que venga cuando quiera a verme a esta nuestra casa.

—Nuestra casa, Gertrudis, nuestra...

—Nuestra, sí, y de nuestros hijos.

—Si tú quisieras...

—¡No hablemos de eso! —y se levantó.

Al siguiente día se le presentó Ricardo.

—Pero, por Dios, Tula.

—No hablemos más de eso, Ricardo, que es cosa hecha.

—Pero, por Dios —y se le quebró la voz.

—¡Sé hombre, Ricardo; sé fuerte!

—Pero es que ya tienen padre...

—No basta, no tienen madre..., es decir, sí la tienen.

—Puede él volver a casarse.

—¿Volverse a casar él? En ese caso los niños se irán conmigo. Le prometí a su madre, en su lecho de muerte, que no tendrían madrastra.

—¿Y si llegases a serlo tú, Tula?

—¿Cómo yo?

—Sí, tú; casándote con él, con Ramiro.

—¡Eso nunca!

—Pues yo sólo así me lo explico.

—Eso nunca, te he dicho; no me expondría a que unos míos, es decir, de mi vientre, pudiesen mermarme el cariño que a ésos tengo. ¿Y más hijos, más? Eso nunca. Bastan éstos para bien criarlos.

—Pues a nadie le convencerás, Tula, de que no te has venido a vivir aquí por eso.

—Yo no trato de convencer a nadie de nada. Y en cuanto a ti, basta que yo te lo diga.

Se separaron para siempre.

—¿Y qué? —le preguntó luego Ramiro.

—Que hemos acabado; no podía ser de otro modo.

—Y que has quedado libre...

—Libre estaba, libre estoy, libre pienso morirme.

—Gertrudis..., Gertrudis —y su voz temblaba a súplica.

—Le he despedido porque me debo, ya te lo dije, a tus hijos, a los hijos de Rosa...

—Y tuyos..., ¿no dices así?

—¡Y míos, sí!

—Pero si tú quisieras...

—No insistas; ya te tengo dicho que no debo casarme ni contigo ni con otro menos.

—¿Menos? —y se le abrió el pecho.

—Sí, menos.

—¿Y cómo no fuiste monja?

—No me gusta que me manden.

—Es que en el convento en que entrases serías tú la abadesa, la superiora.

—Menos me gusta mandar. ¡Ramirín!

El niño acudió al reclamo. Y cogiéndole su tía le dijo: «¡Vamos a jugar al escondite, rico!»

—Pero Tula...

—Te he dicho —y para decirle esto se le acercó, teniendo cogido de la mano al niño, y se lo dijo al oído— que no me llames Tula, y menos delante de los niños. Ellos sí, pero tú no. Y ten respeto a los pequeños.

—¿En qué les falto al respeto?

—En dejar así al descubierto delante de ellos tus instintos...

—Pero si no comprenden...

—Los niños lo comprenden todo; más que nosotros. Y no olvidan nada. Y si ahora no lo comprenden, lo comprenderán mañana. Cada cosa de éstas que ve u oye un niño es una semilla en su alma, que luego echa tallo y da fruto. ¡Y basta!

IX

Y empezó una vida de triste desasosiego, de interna lucha en aquel hogar. Ella defendíase con los niños, a los que siempre procuraba tener presentes, y le excitaba a él a que saliese a distraerse. Él, por su parte, extremaba sus caricias a los hijos y no hacía sino hablarles de su madre, de su pobre madre. Cogía a la niña y allí, delante de la tía, se la devoraba a besos.

—No tanto, hombre, no tanto, que así no haces sino molestar a la pobre criatura. Y eso, permíteme que te lo diga, no es natural. Bien está que hagas que me llamen tía y no mamá, pero no tanto; repórtate.

—¿Es que yo no he de tener el consuelo de mis hijos?

—Sí, hijo, sí; pero lo primero es educarlos bien.

—¿Y así?

—Hartándoles de besos y de golosinas se les hace débiles. Y mira que los niños adivinan...

—Y qué culpa tengo yo...

—¿Pero es que puede haber para unos niños, hombre de Dios, un hogar mejor que éste? Tienen hogar, verdadero hogar, con padre y madre, y es un hogar limpio, castísimo, por todos cuyos rincones pueden andar a todas horas, un hogar donde nunca hay que cerrarles puerta alguna, un hogar sin misterios. ¿Quieres más?

Pero él buscaba acercarse a ella, hasta rozarla. Y alguna vez le tuvo que decir en la mesa:

—No me mires así, que los niños ven.

Por las noches solía hacerles rezar por mamá Rosa, por mamita, para que Dios la tuviese en su gloria. Y una noche, después de este rezo y hallándose presente el padre, añadió:

—Ahora, hijos míos, un padrenuestro y avemaría por papá también.

—Pero papá no se ha muerto, mamá Tula.

—No importa, porque se puede morir...

—Eso, también tú.

—Es verdad; otro padrenuestro y avemaría por mí entonces.

Y cuando los niños se hubieron acostado, volviéndose a su cuñado le dijo secamente:

—Esto no puede ser así. Si sigues sin reportarte tendré que marcharme de estas casa aunque Rosa no me lo perdone desde el cielo.

—Pero es que...

—Lo dicho; no quiero que ensucies así, ni con miradas, esta casa tan pura y donde mejor pueden criarse las almas de tus hijos. Acuérdate de Rosa.

—¿Pero de qué crees que somos los hombres?

—De carne y muy brutos.

—¿Y tú, no te has mirado nunca?

—¿Qué es eso? —y se le demudó el rostro sereno.

—Que aunque no fueses, como en realidad lo eres, su madre, ¿tienes derecho, Gertrudis, a perseguirme con tu presencia? ¿Es justo que me reproches y estés llenando la casa con tu persona, con el fuego de tus ojos, con el son de tu voz, con el imán de tu cuerpo lleno de alma, pero de un alma llena de cuerpo?

Gertrudis, toda encendida, bajaba la cabeza y se callaba, mientras le tocaba a rebato el corazón.

—¿Quién tiene la culpa de esto?, dime.

—Tienes razón, Ramiro, y si me fuese, los niños piarían por mí, porque me quieren...

—Más que a mí —dijo tristemente el padre.

—Es que yo no les besuqueo como tú ni les sobo, y cuando les beso, ellos sienten que mis besos son más puros, que son para ellos solos...

—Y bien, ¿quién tiene la culpa de esto?, repito.

—Bueno, pues. Espera un año, esperemos un año; déjame un año de plazo para que vea claro en mí, para que veas claro en ti mismo, para que te convenzas...

—Un año..., un año...

—¿Te parece mucho?

—¿Y luego, cuando se acabe?

—Entonces... veremos...

—Veremos..., veremos...

—Yo no te prometo más.

—Y si en este año...

—¿Qué? Si en este año haces alguna tontería...

—¿A qué llamas hacer una tontería?

—A enamorarte de otra y volverte a casar.

—Eso... ¡nunca!

—Qué pronto lo dijiste...

—Eso... ¡nunca!

—¡Bah!, juramentos de hombres...

—Y si así fuese, ¿quién tendrá la culpa?

—¿Culpa?

—¡Sí, la culpa!

—Eso sólo querría decir...

—¿Qué?

—Que no le quisiste, que no le quieres a tu Rosa como ella te quiso a ti, como ella te habría querido de haber sido ella la viuda...

—No, eso querría decir otra cosa, que no es...

—Bueno, basta. ¡Ramirín!, ¡ven acá, Ramirín! Anda, corre.

Y así se aplacó aquella lucha.

Y ella continuaba su labor de educar a sus sobrinos.

No quiso que a la niña se le ocupase demasiado en

aprender costura y cosas así. «¿Labores de su sexo?
—decía—, no, nada de labores de su sexo; el oficio
de una mujer es hacer hombres y mujeres, y no
vestirlos.»

Un día que Ramirín soltó una expresión soez que
había aprendido en la calle y su padre iba a reprenderle, interrumpióle Gertrudis, diciéndole bajo: «No,
dejarlo; hay que hacer como si no se ha oído; debe de
haber un mundo de que ni para condenarlo hay que
hablar aquí.»

Una vez que oyó decir de una que se quedaba
soltera que quedaba para vestir santos, agregó: «¡O
para vestir almas de niños!»

—Tulita es mi novia —dijo una vez Ramirín.

—No digas tonterías; Tulita es tu hermana.

—¿Y no puede ser novia y hermana?

—No.

—¿Y qué es ser hermana?

—¿Ser hermana? Ser hermana es...

—Vivir en la misma casa —acabó la niña.

Un día llegó la niña llorando y mostrando un dedo
en que le había picado una abeja. Lo primero que se
le ocurrió a la tía fue ver si con su boca, chupándose-
lo, podía extraerle el veneno como había leído que se
hace con el de ciertas culebras. Luego declararon los
niños, y se les unió el padre, que no dejarían viva a
ninguna de las abejas que venían al jardín, que las
perseguirían a muerte.

—No, eso sí que no —exclamó Gertrudis—; a las
abejas no las toca nadie.

—¿Por qué? ¿Por la miel? —preguntó Ramiro.

—No las toca nadie, he dicho.

—Pero si no son madres, Gertrudis.

—Lo sé, lo sé bien. He leído en uno de esos libros
tuyos lo que son las abejas, lo he leído. Sé lo que son
las abejas éstas, las que pican y hacen la miel; sé lo
que es la reina y sé también lo que son los zánganos.

—Los zánganos somos nosotros, los hombres.

—¡Claro está!

—Pues mira, voy a meterme en política; me van a presentar candidato a diputado provincial.

—¿De veras? —preguntó Gertrudis, sin poder disimular su alegría.

—¿Tanto te place?

—Todo lo que te distraiga.

—Faltan once meses, Gertrudis...

—¿Para qué?, ¿para la elección?

—¡Para la elección, sí!

X

Y era lo cierto que en el alma cerrada de Gertrudis se estaba desencadenando una brava galerna. Su cabeza reñía con su corazón, y ambos, corazón y cabeza, reñían en ella con algo más ahincado, más entrañado, más íntimo, con algo que era como el tuétano de los huesos de su espíritu.

A solas, cuando Ramiro estaba ausente del hogar, cogía al hijo de éste y de Rosa, a Ramirín, al que llamaba su hijo, y se lo apretaba al seno virgen, palpitante de congoja y henchido de zozobra. Y otras veces se quedaba contemplando el retrato de la que fue, de la que era todavía su hermana y como interrogándole si había querido, de veras, que ella, que Gertrudis, le sucediese en Ramiro. «Sí, me dijo que yo habría de llegar a ser la mujer de su hombre, su otra mujer —se decía—, pero no pudo querer eso, no, no pudo quererlo...; yo, en su caso, al menos, no lo habría querido, no podría haberlo querido... ¿De otra? ¡No, de otra no! Ni después de mi muerte... Ni de mi hermana... ¡De otra, no! No se puede ser más que de una... No, no pudo querer eso; no pudo querer que entre él, entre su hombre, entre el padre de sus hijos y yo se interpusiese su sombra... No pudo querer eso. Porque cuando él estuviese a mi lado, arrimado a mí, carne a carne, ¿quién me dice que no estuviese pensando en ella? Yo no sería sino el

recuerdo..., ¡algo peor que el recuerdo de la otra! No,
lo que me pidió es que impida que sus hijos tengan
madrastra. ¡Y lo impediré! Y casándome con Ramiro, entregándole mi cuerpo, y no sólo mi alma, no lo
impediría... Porque entonces sí que sería madrastra.
Y más si llegaba a darme hijos de mi carne y de mi
sangre...» Y esto de los hijos de la carne hacía
palpitar de sagrado terror el tuétano de los huesos del
alma de Gertrudis, que era toda maternidad, pero
maternidad de espíritu.

Y encerrábase en su cuarto, en su recatada alcoba,
a llorar al pie de una imagen de la Santísima Virgen
Madre, a llorar mientras susurraba: «el fruto de tu
vientre...».

Una vez que tenía apretado a su seno a Ramirín,
éste le dijo:

—¿Por qué lloras, mamita? —pues habíale enseñado a llamarla así.

—Si no lloro...

—Sí, lloras...

—¿Pero es que me ves llorar...?

—No, pero te siento que lloras... Estás llorando...

—Es que me acuerdo de tu madre...

—¿Pues no dices que lo eres tú...?

—Sí, pero de la otra, de mamá Rosa.

—¡Ah, sí!; la que se murió..., la de papá...

—¡Sí la de papá!

—¿Y por qué papá nos dice que no te llamemos
mamá, sino tía, tiíta Tula, y tú nos dices que te
llamemos mamá y no tía, tiíta Tula...?

—Pero ¿es que papá os dice eso?

—Sí, nos ha dicho que todavía no eras nuestra
mamá, que todavía no eres más que nuestra tía...

—¿Todavía?

—Sí, nos ha dicho que todavía no eres nuestra
mamá, pero que lo serás... Sí, que vas a ser nuestra
mamá cuando pasen unos meses...

«Entonces sería vuestra madrastra», pensó Gertru-

dis, pero no se atrevió a desnudar este pensamiento
pecaminoso ante el niño.

—Bueno, mira, no hagas caso de esas cosas, hijo
mío...

Y cuando luego llegó Ramiro, el padre, le llamó
aparte y severamente le dijo:

—No andes diciéndole al niño esas cosas. No le
digas que yo no soy todavía más que su tía, la tía
Tula, y que seré su mamá. Eso es corromperle, eso es
abrirle los ojos sobre cosas que no debe ver. Y si lo
haces por influir con él sobre mí, si lo haces por
moverme...

—Me dijiste que te tomabas un plazo...

—Bueno, si lo haces por eso piensa en el papel que
haces hacer a tu hijo, un papel de...

—¡Bueno, calla!

—Las palabras no me asustan, pero lo callaré. Y tú
piensa en Rosa, recuerda a Rosa, ¡tu primer... amor!

—¡Tula!

—Basta. Y no busques madrastra para tus hijos,
que tienen madre.

XI

«Esto necesita campo», se dijo Gertrudis, e indicó a Ramiro la conveniencia de que todos ellos se fuesen a veranear a un pueblecito costero que tuviese montaña, dominando al mar y por éste dominada. Buscó un lugar que no fuese muy de moda, pero donde Ramiro pudiese encontrar compañeros de tresillo, pues tampoco le quería obligado a la continua compañía de los suyos. Era un género de soledad a que Gertrudis temía.

Allí todos los días salían de paseo, por la montaña, dando vistas al mar, entre madroñales, ellos dos, Gertrudis y Ramiro, y los tres niños: Ramirín, Rosita y Elvira. Jamás, ni aun allí donde no los conocían —es decir, allí menos—, se hubiese arriesgado Gertrudis a salir de paseo con su cuñado, solos los dos. Al llegar a un punto en que un tronco tendido en tierra, junto al sendero, ofrecía, a modo de banco rústico, asiento, sentábanse en él ellos dos, cara al mar, mientras los niños jugaban allí cerca, lo más cerca posible. Una vez en que Ramiro quiso que se sentaran en el suelo, sobre la yerba montañesa, Gertrudis le contestó: «¡No, en el suelo, no! Yo no me siento en el suelo, sobre la tierra, y menos junto a ti y ante los niños...» «Pero si el suelo está limpio... si hay yerba...» «¡Te he dicho que no me siento así!» «No, la postura no es cómoda...» «¡Peor que incómoda!»

Desde aquel tronco, mirando al mar, hablaban de mil nonadas, pues en cuanto el hombre deslizaba la conversación a senderos de lo por pacto tácito ya vedado de hablar entre ellos, la tía tenía en la boca un «¡Ramirín!» o «¡Rosita!» o «¡Elvira!». Le hablaba ella del mar y eran sus palabras, que le llegaban a él envueltas en el rumor no lejano de las olas, como la letra vaga de un canto de cuna para el alma. Gertrudis estaba brizando la pasión de Ramiro para adormecérsela. No le miraba casi nunca entonces, miraba al mar; pero en él, en el mar, veía reflejada por misterioso modo la mirada del hombre. El mar purísimo les unía las miradas y las almas.

Otras veces íbanse al bosque, a un castañar, y allí tenía ella que vigilarle, vigilarse y vigilar a los niños con más cuidado. Y también allí encontró el tronco derribado que le sirviese de asiento.

Quería atemperarle a una vida de familia purísima y campesina, hacer que se acostase cansado de luz y de aire libres, que se durmiese, oyendo fuera al grillo, para dormir sin ensueños, que le despertase el canto del gallo y el trajineo de los campesinos y los marineros.

Por las mañanas bajaban a una pequeña playa, donde se reunía la pequeña colonia veraniega. Los niños, descalzos, entreteníanse, después del baño, en desviar con los pies el curso de un pequeño arroyuelo vagabundo e indeciso que por la arena desaguaba en el mar. Ramiro se unió alguna vez a este juego de los niños.

Pero Gertrudis empezó a temer. Se había equivocado en sus precauciones. Ramiro huía del tresillo con sus compañeros de colonia veraniega y parecía espiar más que nunca la ocasión de hallarse a solas con su cuñada. La casita que habitaban tenía más de tienda de gitanos trashumantes que de otra cosa. El campo, en vez de adormecer, no la pasión, el deseo de Ramiro, parecía como si se lo excitase más, y ella misma, Gertrudis, empezó a sentirse desasosegada. La vida se les ofrecía más al desnudo en aquellos campos, en el bosque, en los repliegues de la montaña. Y luego había los animales domésticos, los que cría el hombre, con los que era mayor allí la convivencia. Gertrudis sufría al ver la atención con que los pequeños, sus sobrinos, seguían los juegos del averío. No, el campo no rendía una lección de pureza. Lo puro allí era hundir la mirada en el mar. Y aun el mar... La brisa marina les llegaba como un aguijón.

—¡Mira qué hermosura! —exclamó Gertrudis una tarde, al ocaso, en que estaban sentados frente al mar.

Era la luna llena, roja sobre su palidez, que surgía de las olas como una flor gigantesca y solitaria en un yermo palpitante.

—¿Por qué le habrán cantado tanto a la luna los poetas? —dijo Ramiro—; ¿por qué será la luz romántica y de los enamorados?

—No lo sé, pero se me ocurre que es la única tierra, porque es una tierra... que vemos sabiendo que nunca llegaremos a ella..., es lo inaccesible... El sol no, el sol nos rechaza; gustamos de bañarnos en su luz, pero sabemos que es inhabitable, que en él nos quemaríamos, mientras que en la luna creemos que se podría vivir y en paz y crepúsculo eternos, sin tormentas, pues no la vemos cambiar, pero sentimos que no se puede llegar a ella... Es lo intangible...

—Y siempre nos da la misma cara..., esa cara tan triste y tan seria..., es decir, siempre ¡no!, porque la va velando poco a poco y la oscurece del todo y otras veces parece una hoz...

—Sí —y al decirlo parecía como que Gertrudis seguía sus propios pensamientos sin oír los de su compañero, aunque no era así—; siempre enseña la misma cara porque es constante, es fiel. No sabemos cómo será por el otro lado..., cuál será su otra cara...

—Y eso añade a su misterio...

—Puede ser..., puede ser... Me explico que alguien anhele llegar a la luna..., ¡lo imposible!..., para ver cómo es por el otro lado..., para conocer y explorar su otra cara...

—La oscura...

—¿La oscura? ¡Me parece que no! Ahora que esta que vemos está iluminada la otra estará a oscuras, pero o yo sé poco de estas cosas o cuando esta cara se oscurece del todo, en luna nueva, está en luz por el otro, es luna llena de la otra parte...

—¿Para quién?

—¿Cómo para quién?

—Sí, que cuando el otro lado alumbra, ¿para quién?

—Para el cielo, y basta. ¿O es que a la luna la hizo Dios no más que para alumbrarnos de noche a nosotros, los de la tierra? ¿O para que hablemos estas tonterías?

—Pues bien, mira, Tula...

—¡Rosita!

Y no le dejó comentar la intangibilidad y la plenitud de la luna.

Cuando ella habló de volver ya a la ciudad apresuróse él a aceptarlo. Aquella temporada en el campo, entre la montaña y el mar, había sido estéril para sus propósitos. «Me he equivocado —se decía también él—; aquí está más segura que allí, que en casa; aquí parece embozarse en la montaña, en el bosque, y como si el mar le sirviese de escudo; aquí es tan intangible como la luna, y entretanto este aire de salina filtrado por entre rayos de sol enciende la sangre... y ella me parece aquí fuera de su ámbito y como si temiese algo; vive alerta y diríase que no duerme...» Y ella a su vez se decía: «No, la pureza no es del campo, la pureza es de celda, de claustro y de ciudad; la pureza se desarrolla entre gentes que se unen en mazorcas de viviendas para mejor aislarse; la ciudad es monasterio, convento de solitarios; aquí la tierra, sobre que casi se acuestan, las une y los animales son otras tantas serpientes del paraíso... ¡A la ciudad, a la ciudad!»

En la ciudad estaba su convento, su hogar, y en él su celda. Y allí adormecería mejor a su cuñado. ¡Oh!, si pudiese decir de él —pensaba— lo que Santa Teresa en una carta —Gertrudis leía mucho a Santa Teresa— decía de su cuñado don Juan de Ovalle, marido de doña Juana de Ahumada: «Él es de condición en cosas muy aniñado...» ¿Cómo le aniñaría?

XII

Al fin Gertrudis no pudo con su soledad y decidió llevar su congoja al padre Álvarez, su confesor, pero no su director espiritual. Porque esta mujer había rehuido siempre ser dirigida, y menos por un hombre. Sus normas de conducta moral, sus convicciones y creencias religiosas se las había formado ella con lo que oía a su alrededor y con lo que leía, pero las interpretaba a su modo. Su pobre tío, don Primitivo, el sacerdote ingenuo que las había criado a las dos hermanas y les enseñó el catecismo de la doctrina cristiana explicado según *el Mazo* [1], sintió siempre un profundo respeto por la inteligencia de su sobrina Tula, a la que admiraba. «Si te hicieses monja —solía decirle— llegarías a ser otra Santa Teresa... Qué cosas se te ocurren, hija...» Y otras veces: «Me parece que eso que dices, Tulilla, huele un poco a herejía; ¡hum! No lo sé..., no lo sé..., porque no es posible que te inspire herejías el ángel de tu guarda, pero eso me suena así como a... qué sé yo...» Y ella le contestaba

---

[1]   Es muy frecuente en la jerga estudiantil o libresca recurrir a ese procedimiento metonímico de designar una obra por el nombre o apellidos de su autor: Santiago José García Mazo (1768-1849), sacerdote y escritor vallisoletano (aunque estudió en Salamanca), fue el autor de *El Catecismo de la doctrina cristiana* explicada (1837), texto basado en la *Doctrina cristiana* del jesuita Gaspar Astete, impresa por primera vez en 1599. *El Catecismo* de García Mazo gozaba de gran popularidad en la época, y en Salamanca.

riendo: «Sí, tío, son tonterías que se me ocurren, y ya que dice usted que huele a herejía no lo volveré a pensar.» Pero ¿quién pone barreras al pensamiento?

Gertrudis se sintió siempre sola. Es decir, sola para que la ayudaran, porque para ayudar ella a los otros no, no estaba sola. Era como una huérfana cargada de hijos. Ella sería el báculo de todos los que la rodearan; pero si sus piernas flaquearan, si su cabeza no le mantuviese firme en su sendero, si su corazón empezaba a bambolear y enflaquecer, ¿quién la sostendría a ella?, ¿quién sería su báculo? Porque ella, tan henchida del sentimiento, de la pasión mejor, de la maternidad, no sentía la filialidad. «¿No es esto orgullo?», se preguntaba.

No pudo al fin con esta soledad y decidió llevar a su confesor, al padre Álvarez, su congoja. Y le contó la declaración y proposición de Ramiro, y hasta lo que les había dicho a los niños de que no le llamasen a ella todavía madre, y las razones que tenía para mantener la pureza de aquel hogar y cómo no quería entregarse a hombre alguno, sino reservarse para mejor consagrarse a los hijos de Rosa.

—Pero lo de su cuñado lo encuentro muy natural —arguyó el buen padre de almas.

—Es que no se trata ahora de mi cuñado, padre, sino de mí; y no creo que haya acudido a usted también en busca de alianza...

—¡No, no, hija, no!

—Como dicen que en los confesonarios se confeccionan bodas y que ustedes, los padres, se dedican a casamenteros...

—Yo lo único que digo ahora, hija, es que es muy natural que su cuñado, viudo y joven y fuerte, quiera volver a casarse, y más natural, y hasta santo, que busque otra madre para sus hijos...

—¿Otra? ¡Ya la tiene!

—Sí; pero... y si ésta se va...

—¿Irme? ¿Yo? Estoy tan obligada a esos niños

como estaría su madre de carne y sangre si vi-
viese...

—Y luego eso da que hablar...

—De lo que hablen, padre, ya le he dicho que nada
se me da...

—¿Y si lo hiciese precisamente por eso, porque
hablen? Examínese y mire si no entra en ello un deseo
de afrontar las preocupaciones ajenas, de desafiar la
opinión pública...

—Y si así fuese, ¿qué?

—Que eso sí que es pecaminoso. Y después de
todo, la cuestión es otra...

—¿Cuál es la cuestión?

—La cuestión es si usted le quiere o no. Ésta es la
cuestión. ¿Le quiere usted, sí o no?

—¡Para marido..., no!

—Pero ¿le rechaza?

—¡Rechazarle..., no!

—Si cuando se dirigió a su hermana, la difunta, se
hubiera dirigido a usted...

—¡Padre! ¡Padre! —y su voz gemía.

—Sí, por ahí hay que verlo...

—¡Padre; que eso no es pecado...!

—Pero ahora se trata de dirección espiritual, de
tomar consejo... Y sí, es pecado, es acaso pecado...
Tal vez hay aquí unos viejos celos...

—¡Padre!

—Hay que ahondar en ello. Acaso no le ha perdo-
nado aún...

—Le he dicho, padre, que le quiero; pero no para
marido. Le quiero como a un hermano, como a un
más que hermano, como al padre de mis hijos,
porque éstos, sus hijos, lo son míos de lo más dentro
mío, de todo mi corazón; pero para marido, no. Yo
no puedo ocupar en su cama el sitio que ocupó mi
hermana... Y sobre todo, yo no quiero, no debo
darles madrastra a mis hijos...

—¿Madrastra?

—Sí, madrastra. Si yo me caso con él, con el padre de los hijos de mi corazón, les daré madrastra a éstos, y más si llego a tener hijos de carne y de sangre con él. Esto, ahora ya..., ¡nunca!

—Ahora ya...

—Sí, ahora que ya tengo a los de mi corazón..., mis hijos...

—Pero piense en él, en su cuñado, en su situación...

—¿Qué piense...?

—¡Sí! ¿Y no tiene compasión de él?

—Sí que la tengo. Y por eso le ayudo y le sostengo. Es como otro hijo mío.

—Le ayuda..., le sostiene...

—Sí, le ayudo y le sostengo a ser padre...

—A ser padre..., a ser padre... Pero él es un hombre...

—¡Y yo una mujer!

—Es débil...

—¿Soy yo fuerte?

—Más de lo debido.

—¿Más de lo debido? ¿Y lo de la mujer fuerte?

—Es que esa fortaleza, hija mía, puede alguna vez ser dureza, ser crueldad. Y es dura con él, muy dura. ¿Que no le quiere como a marido? ¡Y qué importa! Ni hace falta eso para casarse con un hombre. Muchas veces tiene que casarse una mujer con un hombre por compasión, por no dejarle solo, por salvarle, por salvar su alma...

—Pero si no le dejo solo...

—Sí, sí, le deja solo. Y creo que me comprende sin que se lo explique más claro...

—Sí, sí que se lo comprendo, pero no quiero comprenderlo. No está solo. ¡Quien está sola soy yo! Sola..., sola..., siempre sola...

—Pero ya sabe aquello de «más vale casarse que abrasarse...»

—Pero si no me abraso...

—¿No se queja de su soledad?

—No es soledad de abrasarse; no es esa soledad a que usted, padre, alude. No, no es ésa. No me abraso...

—¿Y si se abrasa él?

—Que se refresque en el cuidado y amor de sus hijos.

—Bueno, pero ya me entiende...

—Demasiado.

—Y por si no, le diré más claro aún que su cuñado corre peligro, y que si cae en él, le cabrá culpa.

—¿A mí?

—¡Claro está!

—No lo veo tan claro... Como no soy hombre...

—Me dijo que uno de sus temores de casarse con su cuñado era el de tener hijos con él, ¿no es así?

—Sí, así es. Si tuviéramos hijos llegaría yo a ser, quieras o no, madrastra de los que me dejó mi hermana.

—Pero el matrimonio no se instituyó sólo para hacer hijos...

—Para casar y dar gracia a los casados y que críen hijos para el cielo.

—Dar gracia a los casados... ¿Lo entiende?

—Apenas...

—Que viven en gracia, libres de pecado...

—Ahora lo entiendo menos.

—Bueno, pues que es un remedio contra la sensualidad.

—¿Cómo? ¿Qué es eso? ¿Qué?

—Pero ¿por qué se pone así...? ¿Por qué se altera...?

—¿Qué es el remedio contra la sensualidad? ¿El matrimonio o la mujer?

—Los dos... La mujer... y... y el hombre.

—¡Pues, no, padre, no, no y no! Yo no puedo ser remedio contra nada. ¿Qué es eso de considerarme remedio? ¡Y remedio... contra eso! No, me estimo en más...

—Pero si es que...

—No, ya no sirve. Yo, si él no tuviera ya hijos de mi hermana, acaso me habría casado con él para tenerlos..., para tenerlos de él...; pero ¿remedio? ¿Y a eso? ¿Yo remedio? ¡No!

—Y si antes de haber solicitado a su hermana la hubiera solicitado...

—¿A mí? ¿Antes? ¿Cuando nos conoció? No hablemos ya más, padre, que no podemos entendernos, pues veo que hablamos lenguas diferentes. Ni yo sé la de usted ni usted sabe la mía.

Y dicho esto, se levantó de junto al confesonario. Le costaba andar; tan doloridas le habían quedado del arrodillamiento las rodillas. Y a la vez le dolían las articulaciones del alma y sentía su soledad más hondamente que nunca. «¡No, no me entiende —se decía—, no me entiende; hombre al fin! Pero ¿me entiendo yo misma? ¿Es que me entiendo? ¿Le quiero o no le quiero? ¿No es soberbia esto? ¿No es la triste pasión solitaria del armiño, que por no mancharse no se echa a nado en un lodazal a salvar a su compañero...? No lo sé..., no lo sé...»

XIII

Y de pronto observó Gertrudis que su cuñado era otro hombre, que celaba algún secreto, que andaba caviloso y desconfiado, que salía mucho de casa. Pero aquellas más largas ausencias del hogar no le engañaron. El secreto estaba en él, en el hogar. Y a fuerza de paciente astucia logró sorprender miradas de conocimiento íntimo entre Ramiro y la criada de servicio.

Era Manuela una hospiciana de diecinueve años, enfermiza y pálida, de un brillo febril en los ojos, de maneras sumisas y mansas, de muy pocas palabras, triste casi siempre. A ella, a Gertrudis, ante quien sin saber por qué temblaba, llamábale «señora». Ramiro quiso hacer que le llamase «señorita».

—No, llámame así, señora; nada de señorita...

En general parecía como que la criada le temiera, como avergonzada o amedrentada en su presencia. Y a los niños los evitaba y apenas si les dirigía la palabra. Ellos, por su parte, sentían una indiferencia, rayana en despego, hacia la Manuela. Y hasta alguna vez se burlaban de ella, por ciertas sus maneras de hablar, lo que la ponía de grana. «Lo extraño es —pensaba Gertrudis— que a pesar de todo no quiera irse... Tiene algo de gata esta mozuela.» Hasta que se percató de lo que podría haber escondido.

Un día logró sorprender a la pobre muchacha cuando salía del cuarto de Ramiro, del señorito

—porque a éste sí que le llamaba así— toda encendida y jadeante. Cruzáronse las miradas y la criada rindió la suya. Pero llegó otro en que el niño, Ramirín, se fue a su tía y le dijo:

—Dime, mamá Tula, ¿es Manuela también hermana nuestra?

—Ya te tengo dicho que todos los hombres y mujeres somos hermanos.

—Sí, pero como nosotros, los que vivimos juntos...

—No, porque aunque vive aquí ésta no es su casa...

—¿Y cuál es su casa?

—¿Su casa? No lo quieras saber. ¿Y por qué preguntas eso?

—Porque le he visto a papá que la estaba besando...

Aquella noche, luego que hubieron acostado a los niños, dijo Gertrudis a Ramiro:

—Tenemos que hablar.

—Pero si aún faltan ocho meses...

—¿Ocho meses?

—¿No hace cuatro que me diste un año de plazo?

—No se trata de eso, hombre, sino de algo más serio.

A Ramiro se le paró el corazón y se puso pálido.

—¿Más serio?

—Más serio, sí. Se trata de tus hijos, de su buena crianza, y se trata de esa pobre hospiciana, de la que estoy segura que estás abusando.

—Y si así fuese, ¿quién tiene la culpa de eso?

—¿Y aún lo preguntas? ¿Aún querrás también culparme de ello?

—¡Claro que sí!

—Pues bien, Ramiro: se ha acabado ya aquello del año; no hay plazo ninguno; no puede ser, no puede ser. Y ahora sí que me voy, y, diga lo que dijere la ley, me llevaré a los niños conmigo, es decir, se irán conmigo.

—Pero ¿estás loca, Gertrudis?

—Quien está loco eres tú.

—Pero qué querías...

—Nada, o yo o ella. O me voy, o echas a esa cria-
dita de casa.

Siguióse un congojoso silencio.

—No la puedo echar, Gertrudis, no la puedo
echar. ¿Adónde se va? ¿Al hospicio otra vez?

—A servir a otra casa.

—No la puedo echar, Gertrudis, no la puedo echar
—y el hombre rompió a llorar.

—¡Pobre hombre! —murmuró ella poniéndole la
mano sobre la suya—. Me das pena.

—Ahora, ¿eh?, ¿ahora?

—Sí; me das lástima... Estoy ya dispuesta a todo...

—¡Gertrudis! ¡Tula!

—Pero has dicho que no la puedes echar...

—Es verdad; no la puedo echar —y volvió a
abatirse.

—¿Qué, pues?, ¿que no va sola?

—No, no irá sola.

—Los ocho meses del plazo, ¿eh?

—Estoy perdido, Tula, estoy perdido.

—No, la que está perdida es ella, la huérfana, la
hospiciana, la sin amparo.

—Es verdad, es verdad...

—Pero no te aflijas así, Ramiro, que la cosa tiene
fácil remedio...

—¿Remedio? ¿Y fácil? —y se atrevió a mirarle a la
cara.

—Sí; casarte con ella.

Un rayo que le hubiese herido no le habría dejado
más deshecho que esas palabras sencillas.

—¡Que me case! ¡Que me case con la criada! ¿Que
me case con una hospiciana? ¡Y me lo dices tú!...

—¡Y quién si no había de decírtelo! Yo, la verdadera madre hoy de tus hijos.

—¿Que les dé madrastra?

—¡No, eso no!, que aquí estoy yo para seguir siendo su madre. Pero que des padre al que haya de ser tu nuevo hijo, y que le des madre también. Esa hospiciana tiene derecho a ser madre, tiene ya el deber de serlo, tiene derecho a su hijo, y al padre de su hijo.

—Pero Gertrudis...

—Cásate con ella, te he dicho; y te lo dice Rosa. Sí —y su voz, serena y pastosa, resonó como una campana—. Rosa, tu mujer, te dice por mi boca que te cases con la hospiciana. ¡Manuela!

—¡Señora! —se oyó como un gemido, y la pobre muchacha, que acurrucada junto al fogón, en la cocina, había estado oyéndolo todo, no se movió de su sitio. Volvió a llamarla, y después de otro «¡Señora!», tampoco se movió.

—Ven acá, o iré a traerte.

—¡Por Dios! —suplicó Ramiro.

La muchacha apareció cubriéndose la llorosa cara con las manos.

—Descubre la cara y míranos.

—¡No, señora, no!

—Sí, míranos. Aquí tienes a tu amo, a Ramiro, que te pide perdón por lo que de ti ha hecho.

—Perdón, yo, señora, y a usted...

—No, te pide perdón y se casará contigo.

—¡Pero señora! —clamó Manuela a la vez que Ramiro clamaba: «¡Pero Gertrudis!»

—Lo he dicho, se casará contigo; así lo quiere Rosa. No es posible dejarte así. Porque tú estás ya.., ¿no es eso?

—Creo que sí, señora; pero yo...

—No llores así ni hagas juramentos; sé que no es tuya la culpa...

—Pero se podría arreglar...

—Bien sabe aquí Manuela —dijo Ramiro— que nunca he pensado en abandonarla... Yo le colocaría...

—Sí, señora, sí; yo me contento...

—No, tú no debes contentarte con eso que ibas a decir. O mejor, aquí Ramiro no puede contentarse con eso. Tú te has criado en el hospicio, ¿no es eso?

—Sí, señora.

—Pues tu hijo no se criará en él. Tiene derecho a tener padre, a su padre, y le tendrá. Y ahora vete..., vete a tu cuarto, y déjanos.

Y cuando quedaron Ramiro y ella a solas:

—Me parece que no dudarás ni un momento...

—¡Pero eso que pretendes es una locura, Gertrudis!

—La locura, peor que locura, la infamia, sería lo que pensabas.

—Consúltalo siquiera con el padre Álvarez.

—No lo necesito. Lo he consultado con Rosa.

—Pero si ella te dijo que no dieses madrastra a sus hijos...

—¿A sus hijos? ¡Y tuyos!

—Bueno, sí, a nuestros hijos...

—Y no les daré madrastra. De ellos, de los nuestros, seguiré siendo yo la madre, pero del de ésa...

—Nadie le quitará de ser madre...

—Sí, tú si no te casas con ella. Eso no será ser madre...

—Pues ella...

—¿Y qué? ¿Porque ella no ha conocido a la suya pretendes tú que no lo sea como es debido?

—Pero fíjate en que esta chica...

—Tú eres quien debió fijarse...

—Es una locura..., una locura...

—La locura ha sido antes. Y ahora piénsalo, que si no haces lo que debes el escándalo le daré yo. Lo sabrá todo el mundo.

—¡Gertrudis!

—Cásate con ella, y se acabó.

XIV

Una profunda tristeza henchía aquel hogar después del matrimonio de Ramiro con la hospiciana. Y ésta parecía aún más que antes la criada, la sirvienta, y más que nunca Gertrudis el ama de la casa. Y esforzábase ésta más que nunca por mantener al nuevo matrimonio apartado de los niños, y que éstos se percataran lo menos posible de aquella convivencia íntima. Mas hubo que tomar otra criada y explicar a los pequeños el caso.

Pero, ¿cómo explicarles el que la antigua criada se sentara a la mesa a comer con los de casa? Porque esto exigió Gertrudis.

—Por Dios, señora —suplicaba la Manuela—, no me avergüence así..., mire que me avergüenza... Hacerme que me siente a la mesa con los señores, y sobre todo con los niños..., y que hable de tú al señorito..., ¡eso nunca!

—Háblale como quieras, pero es menester que los niños, a los que tanto temes, sepan que eres de la familia. Y ahora, una vez arreglado esto, no podrán ya sorprender intimidades a hurtadillas. Ahora os recataréis mejor. Porque antes el querer ocultaros de ellos os delataba.

La preñez de Manuela fue, en tanto, molestísima. Su fragilísima fábrica de cuerpo la soportaba muy mal. Y Gertrudis, por su parte, le recomendaba que ocultase a los niños lo anormal de su estado.

Ramiro vivía sumido en una resignada desesperación y más entregado que nunca al albedrío de Gertrudis.

—Sí, sí, bien lo comprendo ahora —decía—, no ha habido más remedio, pero...

—¿Te pesa? —le preguntaba Gertrudis.

—De haberme casado, ¡no! De haber tenido que volverme a casar, ¡sí!

—Ahora no es ya tiempo de pensar en eso; ¡pecho a la vida!

—¡Ah, si tú hubieras querido, Tula!

—Te di un año de plazo; ¿has sabido guardarlo?

—¿Y si lo hubiese guardado como tú querías, al fin de él qué, dime? Porque no me prometiste nada.

—Aunque te hubiese prometido algo habría sido igual. No, habría sido peor aún. En nuestras circunstancias, el haberte hecho una promesa, el haberte sólo pedido una dilación para nuestro enlace, habría sido peor.

—Pero si hubiese guardado la tregua, como tú querías que la guardase, dime: ¿qué habrías hecho?

—No lo sé.

—Que no lo sabes..., Tula..., que no lo sabes...

—No, no lo sé; te digo que no lo sé.

—Pero tus sentimientos...

—Piensa ahora en tu mujer, que no sé si podrá soportar el trance en que la pusiste. ¡Es tan endeble la pobrecilla! Y está tan llena de miedo... Sigue asustada de ser tu mujer y ama de su casa.

Y cuando llegó el peligroso parto repitió Gertrudis las abnegaciones que en los partos de su hermana tuviera, y recogió al niño, una criatura menguada y debilísima, y fue quien lo enmantilló y quien se lo presentó a su padre.

—Aquí le tienes, hombre, aquí le tienes.

—¡Pobre criatura! —exclamó Ramiro, sintiendo que se le derretían de lástima las entrañas a la vista de aquel mezquino rollo de carne viviente y sufriente.

—Pues es tu hijo, un hijo más... Es un hijo más que nos llega.

—¿Nos llega? ¿También a ti?

—Sí, también a mí; no he de ser madrastra para él, yo que hago que no la tengan los otros.

Y así fue que no hizo distinción entre uno y otros.

—Eres una santa, Gertrudis —le decía Ramiro—, pero una santa que ha hecho pecadores.

—No digas eso; soy una pecadora que me esfuerzo por hacer santos, santos a tus hijos y a ti y a tu mujer.

—¡Mi mujer!...

—Tu mujer, sí; la madre de tu hijo. ¿Por qué le tratas con ese cariñoso despego y como a una carga?

—¿Y qué quieres que haga, que me enamore de ella?

—Pero ¿no lo estabas cuando la sedujiste?

—¿De quién? ¿De ella?

—Ya lo sé, ya sé que no; pero lo merece la pobre...

—¡Pero si es la menor cantidad de mujer posible, si no es nada!

—No, hombre, no; es más, es mucho más de lo que tú te crees. Aún no la has conocido.

—Si es una esclava...

—Puede ser, pero debes libertarla. La pobre está asustada..., nació asustada... Te aprovechaste de su susto...

—No sé, no sé cómo fue aquello...

—Así sois los hombres; no sabéis lo que hacéis ni pensáis en ello. Hacéis las cosas sin pensarlas...

—Peor es muchas veces pensarlas y no hacerlas...

—¿Por qué lo dices?

—No, nada; por nada...

—¿Tú crees sin duda que yo no hago más que pensar?

—No, no he dicho que crea eso...

—Sí, tú crees que yo no soy más que pensamiento...

XV

De nuevo la pobre Manuela, la hospiciana, la esclava, hallábase preñada. Y Ramiro muy malhumorado con ello.

—Como si uno no tuviese bastante con los otros... —decía.

—¡Y yo qué quieres que le haga! —exclamaba la víctima.

—Después de todo, tú lo has querido así —concluía Gertrudis.

Y luego, aparte, volvía a reprenderle por el trato de compasivo despego que daba a su mujer. La cual soportaba esta preñez aún peor que la otra.

—Me temo por la pobre muchacha —vaticinó don Juan, el médico, un viudo que menudeaba sus visitas.

—¿Cree usted que corre peligro? —le preguntó Gertrudis.

—Esta pobre chica está deshecha por dentro; es una tísica consumada y consumida. Resistirá, es lo más probable, hasta dar a luz, pues la Naturaleza, que es muy sabia...

—¡La Naturaleza, no! La Santísima Virgen Madre, don Juan —le interrumpió Gertrudis.

—Como usted quiera; me rindo, como siempre, a su superior parecer. Pues, como decía, la Naturaleza o la Virgen, que para mí es lo mismo...

—No, la Virgen es la Gracia...

—Bueno, pues la Naturaleza, la Virgen, la Gracia

o lo que sea, hace que en estos casos la madre se defienda y resista hasta que dé a luz al nuevo ser. Ese inocente pequeñuelo le sirve a la pobre madre futura como escudo contra la muerte.

—¿Y luego?

—¿Luego? Que probablemente tendrá usted que criar sola, sirviéndose de un ama de cría, por supuesto, un crío más. Tiene ya cuatro; cargará con cinco.

—Con todos los que Dios me mande.

—Y que probablemente, no digo que seguramente, a no tardar mucho, don Ramiro volverá a quedar libre —y miró fijamente con sus ojillos grises a Gertrudis.

—Y dispuesto a casarse por tercera vez —agregó ésta haciéndose la desentendida.

—¡Eso sería ya heroico1

—Y usted, puesto que permanece viudo, y viudo sin hijos, es que no tiene madera de héroe.

—¡Ah, doña Gertrudis, si yo pudiese hablar!

—¡Pues cállese usted!

—Me callo.

Le tomó la mano, reteniéndosela un rato, y dándole con la otra suya unos golpecitos añadió con un suspiro:

—Cada hombre es un mundo, Gertrudis.

—Y cada mujer, una luna, ¿no es eso, don Juan?

—Cada mujer puede ser un cielo.

«Este hombre me dedica un cortejeo platónico», se dijo Gertrudis.

Cuando en la casa temían por la pobre Manuela y todos los cuidados eran para ella, cayó de pronto en cama Ramiro, declarándosele desde luego una pulmonía. La pobre hospiciana quedóse como atontada.

—Déjame a mí, Manuela —le dijo Gertrudis—; tú cuídate y cuida a lo que llevas contigo. No te empeñes en atender a tu marido, que eso puede agravarte.

—Pero yo debo...

—Tú debes cuidar de lo tuyo.

—Y mi marido, ¿no es mío?

—No, ahora no; ahora es tuyo tu hijo que está por venir.

La enfermedad de Ramiro se agravaba.

—Temo complicaciones al corazón —sentenció don Juan—. Le tiene débil; claro, ¡los pesares y disgustos!

—Pero ¿se morirá, don Juan? —preguntó henchida de angustia Gertrudis.

—Todo pudiera ser...

—Sálvele, don Juan, sálvele, como sea...

—Qué más quisiera yo...

—¡Ah, qué desgracia! ¡Qué desgracia! —y por primera vez se le vio a aquella mujer tener que sentarse y sufrir un desvanecimiento.

—Es, en efecto, terrible —dijo el médico en cuanto Gertrudis se repuso— dejar así cuatro hijos, ¿qué digo cuatro?, cinco se puede decir, ¡y esa pobre viuda tal como está!...

—Eso es lo de menos, don Juan; para todo eso me basto y me sobro yo. ¡Qué desgracia! ¡Qué desgracia!

Y el médico se fue diciéndose: «Está visto; esta cuñadita contaba con volver a tenerle libre a su cuñado. Cada persona es un mundo y algunas varios mundos. Pero ¡qué mujer! ¡Es toda una mujer! ¡Qué fortaleza! ¡Qué sagacidad! ¡Y qué ojos! ¡Qué cuerpo! ¡Irradia fuego!»

Ramiro, una tarde en que la fiebre, remitiéndosele, habíale dejado algo más tranquilo, llamó a Gertrudis, le rogó que cerrara la puerta de la alcoba, y le dijo:

—Yo me muero, Tula, me muero sin remedio. Siento que el corazón no quiere ya marchar, a pesar de todas las inyecciones; yo me muero...

—No pienses en eso, Ramiro.

Pero ella también creía en aquella muerte.

—Me muero, y es hora, Tula, de decirte toda la verdad. Tú me casaste con Rosa.

—Como no te decidías y dabas largas...

—¿Y sabes por qué?

—Sí, lo sé, Ramiro.

—Al principio, al veros, al ver a la pareja, sólo reparé en Rosa; era a quien se le veía de lejos; pero al acercarme, al empezar a frecuentaros, sólo te vi a ti, pues eras la única a quien desde cerca se veía. De lejos te borraba ella; de cerca le borrabas tú.

—No hables así de mi hermana, de la madre de tus hijos.

—No; la madre de mis hijos eres tú, tú, tú.

—No pienses ahora sino en Rosa, Ramiro.

—A la que me juntaré pronto, ¿no es eso?

—¡Quién sabe...! Piensa en vivir, en tus hijos...

—A mis hijos les quedas tú, su madre.

—Y en Manuela, en la pobre Manuela...

—Aquel plazo, Tula, aquel plazo fatal.

Los ojos de Gertrudis se hinchieron de lágrimas.

—¡Tula! —gimió el enfermo abriendo los brazos.

—¡Sí, Ramiro, sí! —exclamó ella cayendo en ellos y abrazándole.

Juntaron las bocas y así se estuvieron sollozando.

—¿Me perdonas todo, Tula?

—No, Ramiro, no; eres tú quien tienes que perdonarme.

—¿Yo?

—¡Tú! Una vez hablabas de santos que hacen pecadores. Acaso he tenido una idea inhumana de la virtud. Pero cuando lo primero, cuando te dirigiste a mi hermana, yo hice lo que debí hacer. Además, te lo confieso, el hombre, todo hombre, hasta tú, Ramiro, hasta tú, me ha dado miedo siempre; no he podido ver en él sino el bruto. Los niños, sí; pero el hombre... He huido del hombre.

—Tienes razón, Tula.

—Pero ahora descansa, que estas emociones así pueden dañarte.

Le hizo guardar los brazos bajo las mantas, le arropó, le dio un beso en la frente como se le da a un niño —y un niño era entonces para ella— y se fue. Mas al encontrarse sola se dijo: «¿Y si se repone y cura? ¿Si no se muere? ¿Ahora que ha acabado de romperse el secreto entre nosotros? ¿Y la pobre Manuela? ¡Tendré que marcharme! ¿Y adónde? ¿Y si Manuela se muere y vuelve él a quedarse libre?» Y fue a ver a Manuela, a la que encontró postradísima.

Al siguiente día llevó a los niños al lecho del padre, ya sacramentado y moribundo; los levantó uno a uno y les hizo que le besaran. Luego fue, apoyada en ella, en Gertrudis, Manuela, y de poco se muere de la congoja que le dio sobre el enfermo. Hubo que sacarla y acostarla. Y poco después, cogido de una mano a otra de Gertrudis, y susurrando: «¡Adiós, mi Tula!», rindió el espíritu con el último huelgo Ramiro. Y ella, la tía, vació su corazón en sollozos de congoja sobre el cuerpo exánime del padre de sus hijos, de su pobre Ramiro.

XVI

Apenas, fuera de la soberana, hubo abatimiento en aquel hogar, pues los niños eran incapaces de darse cuenta de lo que había pasado, y Manuela, la viuda casi sin saberlo, concentraba su vida y su ánimo todos en luchar, al modo de una planta, por la otra vida que llevaba en su seno y aun repitiendo, como un gemido de res herida, que se quería morir. Gertrudis proveía a todo.

Cerró los ojos al muerto, no sin decirse: «¿Me estará mirando todavía...?» Le amortajó como lo había hecho con su tío, cubriéndole con un hábito sobre la ropa con que murió, y sin quitarle ésta, y luego, quebrantada por un largo cansancio, por fatiga de años, juntó un momento su boca a la boca fría de Ramiro, y repasó sus vidas, que era su vida. Cuando el llanto de uno de los niños, del pequeñito, del hijo de la hospiciana, le hizo desprenderse del muerto e ir a coger y acallar y mimar al que vivía.

Manuela iba hundiéndose.

—Yo, señora, me muero; no voy a poder resistir esta vez; este parto me cuesta la vida.

Y así fue. Dio a luz una niña, pero se iba en sangre. La niña misma nació envuelta en sangre. Y Gertrudis tuvo que vencer la repugnancia que la sangre, sobre todo la negra cuajada, le producía. Siempre le costó una terrible brega consigo misma el vencer este asco. Cuando una vez, poco antes de morir, su hermana

Rosa tuvo un vómito, de ella Gertrudis huyó despavorida. Y no era miedo, no; era, sobre todo, asco.

Murió Manuela, clavados en los ojos de Gertrudis sus ojos, donde vagaban figuras de niebla sobre las sombras del hospicio.

—Por tus hijos no pases cuidado —le había dicho Gertrudis—, que yo he de vivir hasta dejarlos colocados y que se puedan valer por sí en el mundo, y si no les dejaré sus hermanos. Cuidaré sobre todo de esta última, ¡pobrecilla!, la que te cuesta la vida. Yo seré su madre y su padre.

—¡Gracias! ¡Gracias! ¡Gracias! ¡Dios se lo pagará! ¡Es una santa!

Y quiso besarle la mano, pero Gertrudis se inclinó a ella, la besó en la frente y le puso su mejilla a que se la besase. Y esas expresiones de gratitud repetíalas la hospiciana como quien recita una lección aprendida desde niña. Y murió como había vivido, como una res sumisa y paciente, más bien como un enser.

Y fue esta muerte, tan natural, la que más ahondó en el ánimo de Gertrudis, que había asistido a otras tres ya. En ésta creyó sentir mejor el sentido del enigma. Ni la de su tío, ni la de su hermana, ni la de Ramiro horadaron tan hondo el agujero que se iba abriendo en el centro de su alma. Era como si esta muerte confirmara las otras tres, como si las iluminara a la vez.

En sus solitarias cavilaciones se decía: «Los otros se murieron; ¡a ésta la han matado...!, ¡la ha matado...!, ¡la hemos matado! ¿No la he matado yo más que nadie? ¿No la he traído yo a este trance? ¿Pero es que la pobre ha vivido? ¿Es que pudo vivir? ¿Es que nació acaso? Si fue expósita, ¿no ha sido *exposición* su muerte? ¿No lo fue su casamiento? ¿No la hemos echado en el torno de la eternidad para que entre al hospicio de la Gloria? ¿No será allí hospiciana también?» Y lo que más le acongojaba era el pensamiento tenaz que le perseguía de lo que sentiría Rosa al recibirla al lado suyo, al lado de Ramiro, y conocerla en el otro mundo. Su tío, el buen sacerdote que les crió, cumplió su misión en este mundo, protegió con su presencia la crianza de ellas; su hermana Rosa logró su deseo y gozó y dejó los hijos que había querido tener; Ramiro... ¿Ramiro? Sí, también Ramiro hizo su travesía, aunque a remo y de espaldas a la estrella que le marcaba rumbo, y sufrió, pero con noble sufrir, y pecó y purgó su pecado; pero, ¡y esta pobre que ni sufrió siquiera, que no pecó, sino se pecó en ella y murió huérfana!... «Huérfana también murió Eva...», pensaba Gertrudis. Y luego: «¡No; tuvo a Dios de padre! ¿Y madre? Eva no conoció madre... ¡Así se explica el pecado original...! ¡Eva murió huérfana de humanidad!» Y Eva le trajo el recuerdo del relato del *Génesis,* que había leído poco antes, y cómo el Señor alentó al hombre por la nariz soplo de vida, y se imaginó que se la quitase por manera análoga. Y luego se figuraba que a aquella pobre hospiciana, cuyo sentido de vida no comprendía, le quitó Dios la vida de un beso, posando sus infinitos labios invisibles, los que se cierran formando el cielo azul, sobre los labios, azulados por la muerte, de la pobre muchacha, y sorbiéndole el aliento así.

Y ahora quedábase Gertrudis con sus cinco crías, y bregando, para la última, con amas.

El mayor, Ramirín, era la viva imagen de su padre, en figura y en gestos, y su tía proponíase combatir en él desde entonces, desde pequeño, aquellos rasgos e inclinaciones de aquel que, observando a éste, había visto que más le perjudicaban. «Tengo que estar alerta —se decía Gertrudis— para cuando en él se despierte el hombre, el macho más bien, y educarle a que haga su elección con reposo y tiento.» Lo malo era que su salud no fuese del todo buena y su desarrollo difícil y hasta doliente.

Y a todos había que sacarlos adelante en la vida y educarlos en el culto a sus padres perdidos.

¿Y los pobres niños de la hospiciana? «Ésos también son míos —pensaba Gertrudis—; tan míos como los otros, como los de mi hermana, más míos aún. Porque éstos son hijos de mi pecado. ¿Del mío? ¿No más bien el de él? ¡No, de mi pecado! ¡Son los hijos de mi pecado! ¡Sí, de mi pecado! ¡Pobre chica!» Y le preocupaba sobre todo la pequeñita.

XVII

Gertrudis, molesta por las insinuaciones de don Juan, el médico, que menudeaba las visitas para los niños, y aun pretendió verla a ella como enferma, cuando no sabía que adoleciese de cosa alguna, le anunció un día hallarse dispuesta a cambiar de médico.

—¿Cómo así, Gertrudis?

—Pues muy claro: le observo a usted singularidades que me hacen temer que está entrando en la chochera de una vejez prematura, y para médico necesitamos un hombre con el seso bien despejado y despierto.

—Muy bien; pues que ha llegado el momento, usted me permitirá que le hable claro.

—Diga lo que quiera, don Juan, mas en la inteligencia de que es lo último que dirá en esta casa.

—¡Quién sabe!...

—Diga.

—Yo soy viudo y sin hijos, como usted sabe, Gertrudis. Y adoro a los niños.

—Pues vuélvase usted a casar.

—A eso voy.

—¡Ah! ¿Y busca usted consejo de mí?

—Busco más que consejo.

—¿Que le encuentre yo novia?

—Yo soy médico, le digo, y no sólo no tuve hijos de mi mujer, que era viuda, y perdimos el que ella me trajo al matrimonio, ¡aún le lloro al pobrecillo!, sino que sé, sé positivamente, sé con toda seguridad, que no he de tener nunca hijos propios, que no puedo tenerlos. Aunque no por eso, claro está, me sienta menos hombre que otro cualquiera; ¿usted me entiende, Gertrudis?

—Quisiera no entenderle a usted, don Juan.

—Para acabar, yo creo que a estos niños, a estos sobrinos de usted y a los otros dos acaso...

—Son tan sobrinos para mí como los otros, más bien hijos.

—Bueno, pues que a estos hijos de usted, ya que por tales les tiene, no les vendría mal un padre, y un padre no mal acomodado y hasta regularmente rico.

—¿Y eso es todo?

—Sí, que yo creo que hasta necesitan padre.

—Les basta, don Juan, con el Padre nuestro que está en los cielos.

—Y como madre usted, que es la representante de la Madre Santísima, ¿no es eso?

—Usted lo ha dicho, don Juan, y por última vez en esta casa.

—¿De modo que...?

—Que toda esa historia de la necesidad que siente de tener hijos y de su incapacidad por tenerlos, ¿le he entendido bien, don Juan?

—Perfectamente, y esto último, por supuesto, quede entre los dos.

—No seré yo quien le estorbe otro matrimonio. Y esa historia, digo, no me ha convencido de que usted busque hijos que adoptar, que eso le será muy fácil y casándose, sino que me busca a mí y me buscaría aunque estuviese sola y hubiésemos de vivir solos y sin hijos; ¿le he entendido, don Juan? ¿Me entiende usted?

—Cierto es, Gertrudis, que si estuviese sola lo mismo me casaría con usted, si usted lo quisiera, ¡claro!, porque yo soy muy claro, muy claro, y es

usted la que me atrae; pero en ese caso nos quedaba
el adoptar hijos de cualquier modo, aunque fuese
sacándolos del Hospicio. Pues ya he podido ver que
usted, como yo, se muere por los niños y que los
necesita y los busca y los adora.

—Pero ni usted ni nadie ha visto, don Juan, que yo
haya sido y sea incapaz de hacerlos; nadie puede
decir que yo sea estéril, y no vuelva a poner los pies
en esta casa.

—¿Por qué, Gertrudis?

—¡Por puerco!

Y así se despidieron para siempre.

Mas luego que le hubo así despachado entróle una
desdeñosa lástima, un lastimero desdén de aquel
hombre. «¿No le he tratado con demasiada dureza?
—se decía—. El hombre me sacaba de quicio, es
cierto; sus miradas me herían más que sus palabras,
pero debí tratarle de otro modo. El pobrecillo parece
que necesita remedio, pero no el que él busca, sino
otro, un remedio heroico y radical.» Pero cuando
supo que don Juan se remediaba empezó a pensar si
era, en efecto, calor de hogar lo que buscaba, aunque
bien pronto dio en otra sospecha que le sublevó aún
más el corazón. «¡Ah —se dijo—, lo que necesita es
un ama de casa, una que le cuide, que le ponga sobre
la cama la ropa limpia, que haga que se le prepare el
puchero..., peor, peor que el remedio, peor aún!
¡Cuando una no es remedio es animal doméstico, y la
mayor parte de las veces ambas cosas a la vez! Estos
hombres... ¡O porquería o poltronería! ¡Y aún dicen
que el cristianismo redimió nuestra suerte, la de las
mujeres!» Y al pensar esto, acordándose de su buen
tío, se santiguó diciéndose: «¡No, no lo volveré a
pensar...!»

Pero ¿quién enfrenaba a un pensamiento que mor-
día en el fruto de la ciencia del mal? «¡El cristianismo,
al fin, y a pesar de la Magdalena, es religión de
hombres —se decía Gertrudis—; masculinos el Padre,

el Hijo y el Espíritu Santo...!» Pero ¿y la Madre? La religión de la Madre está en: «He aquí la criada del Señor; hágase en mí según tu palabra» y en pedir a su Hijo que provea de vino a unas bodas, de vino que embriaga y alegra y hace olvidar penas, y para que el Hijo le diga: «¿Qué tengo yo que ver contigo, mujer? Aún no ha venido mi hora.» ¿Qué tengo que ver contigo...? Y llamarle mujer y no madre... Y volvió a santiguarse, esta vez con verdadero temblor. Y es que el demonio de su guarda —así creía ella— le susurró: «¡Hombre al fin!»

XVIII

Corrieron unos años apacibles y serenos. La orfandad daba a aquel hogar, en el que de nada de bienestar se carecía, una íntima luz espiritual de serena calma. Apenas si había que pensar en el día de mañana. Y seguían en él viviendo, con más dulce imperio que cuando respirando llenaban con sus cuerpos sus sitios, los tres que le dieron a Gertrudis masa con qué fraguarlo, Ramiro y sus dos mujeres de carne y hueso. De continuo hablaba Gertrudis de ellos a sus hijos. «¡Mira que te está mirando tu madre!» o «¡Mira que te ve tu padre!» Eran sus dos más frecuentes amonestaciones. Y los retratos de los que se fueron presidían el hogar de los tres.

Los niños, sin embargo, íbanlos olvidando. Para ellos no existían sino en las palabras de mamá Tula, que así la llamaban todos. Los recuerdos directos del mayorcito, de Ramirín, se iban perdiendo y fundiendo en los recuerdos de lo que de ellos oía contar a su tía. Sus padres eran ya para él una creación de ésta.

Lo que más preocupaba a Gertrudis era evitar que entre ellos naciese la idea de una diferencia, de que había dos madres, de que no eran sino medio hermanos. Mas no podía evitarlo. Sufrió en un principio la tentación de decirles que las dos, Rosa y Manuela, eran, como ella misma, madres de todos ellos, pero vio la imposibilidad de mantener mucho tiempo el equívoco; y, sobre todo, el amor a la verdad, un amor en ella desenfrenado, le hizo rechazar tal tentación al punto.

Porque su amor a la verdad confundíase en ella con su amor a la pureza. Repugnábanle esas historietas corrientes con que se trata de engañar la inocencia de los niños, como la de decirles que los traen a este mundo desde París, donde los compran. «¡Buena gana de gastar el dinero en tonto!», había dicho un niño que tenía varios hermanos y a quien le dijeron que a un amiguito suyo le iban a traer pronto un hermanito sus padres. «Buena gana de gastar mentiras en balde —se decía Gertrudis; añadiéndose—: toda mentira es, cuando menos, en balde.»

—Me han dicho que soy hijo de una criada de mi padre; que mi mamá fue criada de la mamá de mis hermanos.

Así fue diciendo un día a casa el hijo de Manuela. Y la tía Tula, con su voz más seria y delante de todos, le contestó:

—Aquí todos sois hermanos, todos sois hijos de un mismo padre y de una misma madre, que soy yo.

—¿Pues no dices, mamita, que hemos tenido otra madre?

—La tuvisteis, pero ahora la madre soy yo; ya lo sabéis. ¡Y que no se vuelva a hablar de eso!

Mas no lograba evitar el que se trasparentara que sentía preferencias. Y eran por el mayor, el primogénito, Ramirín, al que engendró su padre cuando aún tuviera reciente en el corazón el cardenal del golpe que le produjo el haber tenido que escoger entre las dos hermanas, o mejor el haber tenido que aceptar de mandato de Gertrudis a Rosa, y por la pequeñuela, por Manolita, pálido y frágil botoncito de rosa que hacía temer lo hiciese ajarse un frío o un ardor tempranos.

De Ramirín, del mayor, una voz muy queda, muy sumisa, pero de un susurro sibilante y diabólico, que Gertrudis solía oír que brotaba de un rincón de las

entrañas de su espíritu —y al oírla se hacía, santi-
guándose, una cruz sobre la frente y otra sobre el
pecho, ya que no pudiese taparse los oídos íntimos de
aquélla y de éste—, de Ramirín decíale ese tentador
susurro que acaso cuando le engendró su padre
soñaba más en ella, en Gertrudis, que en Rosa. Y de
Manolita, de la hija de la muerte de la hospiciana, se
decía que sin su decisión de casar por segunda vez
a Ramiro, sin aquel haberle obligado a redimir su
pecado y a rescatar a la víctima de él, a la pobre
Manuela, no viviría el pálido y frágil botoncito.

¡Y lo que le costó criarla! Porque el primer hijo de
Ramiro y Manuela fue criado por ésta, por su madre.
La cual, sumisa siempre como una res, y ayudada a la
vez por su natural instinto, no intentó siquiera rehu-
sarlo a pesar de la endeblez de su carne, pero fue con
el hombre, fue con el marido, con quien tuvo que
bregar Gertrudis. Porque Ramiro, viendo la flaqueza
de su pobre mujer, procuró buscar nodriza a su hijo.
Y fue Gertrudis la que le obligó a casarse con
aquélla, quien se plantó en firme en que había de ser
la madre misma quien criara al hijo. «No hay leche
como la de la madre», repetía y al redargüir su
cuñado: «Sí, pero es tan débil que corren peligro ella
y el niño, y éste se criará enclenque», replicaba
implacable la soberana del hogar: «¡Pretextos y ha-
bladurías! Una mujer a la que se le puede alimentar,
puede siempre criar y la naturaleza ayuda, y en
cuanto al niño, te repito que la mejor leche es la de la
madre, si no está envenenada.» Y luego, bajando la
voz, agregaba: «Y no creo que le hayas envenenado
la sangre a tu mujer.» Y Ramiro tenía que someterse.
Y la querella terminó un día en que a nuevas
instancias del hombre, que vio que su nueva mujer
sufrió un vahído, para que le desahijaran el hijo, la
soberana del hogar, cogiéndole aparte, le dijo: «¡Pero
qué empeño, hombre! Cualquiera creería que te estorba el hijo...»

—¿Cómo que me estorba el hijo...? No lo comprendo...

—¿No lo comprendes? ¡Pues yo sí!

—Como no te expliques...

—¿Que me explique? ¿Te acuerdas de lo de aquel bárbaro de Pascualón, el guarda de tu cortijo de Majadalaprieta?

—¿Qué? ¿Aquello que comentamos de la insensibilidad con que recibió la muerte de su hijo...?

—Sí.

—¿Y qué tiene que ver esto con aquello? ¡Por Dios, Tula...!

—Que a mí aquello me llegó al fondo del alma, me hirió profundamente y quise averiguar la raíz del mal...

—Tu manía de siempre...

—Sí, ya me decía el pobre tío que yo era como Eva, empeñada en conocer la ciencia del bien y del mal.

—¿Y averiguaste...?

—Que a aquel... hombre...

—¿Ibas a decir...?

—Que a aquel hombre, digo, le estorbaba el niño para más cómodamente disponer de su mujer. ¿Lo entiendes?

—¡Qué barbaridad!

Pero ya Ramiro tuvo que darse por vencido y dejó que su Manuela criara al niño mientras Gertrudis lo dispusiese así.

Y ahora se encontraba ésta con que tenía que criar a la pequeñuela, a la hija de la muerte, y que forzosamente había de dársela a una madre de alquiler, buscándole un pecho mercenario. Y esto le horrorizaba. Horrorizábale porque temía que cualquier nodriza, y más si era soltera, pudiese tener envenenada, con la sangre, la leche, y abusase de su posición. «Si es soltera —se decía—, ¡malo! Hay que vigilarla para que no vuelva al novio o acaso a otro cualquiera, y si

es casada, malo también, y peor aún si dejó al hijo
propio para criar al ajeno.» Porque esto era lo que
sobre todo le repugnaba. Vender el jugo maternal de
las propias entrañas para mantener mal, para dejarlos morir acaso de hambre, a los propios hijos, era
algo que le causaba dolorosos retortijones en las
entrañas maternales. Y así es cómo se vio desde un
principio en conflicto con las amas de cría de la pobre
criatura, y teniendo que cambiar de ellas cada cuatro
días. ¡No poder criarle ella misma! Hasta que tuvo
que acudir a la lactancia artificial.

Pero el artificio se hizo en ella arte, y luego poesía,
y por fin más profunda naturaleza que la del instinto
ciego. Fue un culto, un sacrificio, casi un sacramento.
El biberón, ese artefacto industrial, llegó a ser para
Gertrudis el símbolo y el instrumento de un rito
religioso. Limpiaba los botellines, cocía los pisgos
cada vez que los había empleado, preparaba y esteri-
lizaba la leche con el ardor recatado y ansioso con
que una sacerdotisa cumpliría un sacrificio ritual.
Cuando ponía el pisgo de caucho en la boquita de la
pobre criatura, sentía que le palpitaba y se le encendía la propia mama. La pobre criatura posaba alguna
vez su manecita en la mano de Gertrudis, que sostenía el frasco.

Se acostaba con la niña, a la que daba calor con su
cuerpo, y contra éste guardaba el frasco de la leche
por si de noche se despertaba aquélla pidiendo ali-
mento. Y se le antojaba que el calor de su carne,
enfebrecida a ratos por la fiebre de la maternidad
virginal, de la virginidad maternal, daba a aquella
leche industrial una virtud de vida materna y hasta
que pasaba a ella, por misterioso modo, algo de los
ensueños que habían florecido en aquella cama solitaria. Y al darle de mamar, en aquel artilugio, por
la noche, a oscuras y a solas las dos, poníale a la
criaturita uno de sus pechos estériles, pero henchidos
de sangre, al alcance de las manecitas para que si-

quiera las posase sobre él mientras chupaba el jugo de vida. Antojábasele que así una vaga y dulce ilusión animaría a la huérfana. Y era ella, Gertrudis, la que así soñaba. ¿Qué? Ni ella misma lo sabía bien.

Alguna vez la criaturita se vomitó sobre aquella cama, limpia siempre hasta entonces como una patena, y de pronto sintió Gertrudis la punzada de la mancha. Su pasión morbosa por la pureza, de que procedía su culto místico a la limpieza, sufrió entonces, y tuvo que esforzarse para dominarse. Comprendía, sí, que no cabe vivir sin mancharse y que aquella mancha era inocentísima, pero los cimientos de su espíritu se conmovían dolorosamente con ello. Y luego le apretaba a la criaturita contra sus pechos pidiéndole perdón en silencio por aquella tentación de su pureza.

XIX

Fuera de este cuidado maternal por la pobre criaturita de la muerte de Manuela, cuidado que celaba una expiación y un culto místicos, y sin desatender a los otros y esforzándose por no mostrar preferencias a favor de los de su sangre, Gertrudis se preocupaba muy en especial de Ramirín y seguía su educación paso a paso, vigilando todo lo que en él pudiese recordar rasgos de su padre, a quien físicamente se parecía mucho. «Así sería a su edad», pensaba la tía y hasta buscó y llegó a encontrar entre los papeles de su cuñado retratos de cuando éste era un chicuelo, y los miraba y remiraba para descubrir en ellos al hijo. Porque quería hacer de éste lo que de aquél habría hecho a haberle conocido y podido tomar bajo su amparo y crianza cuando fue un mozuelo a quien se le abrían los caminos de la vida. «Que no se equivoque como él —se decía—, que aprenda a detenerse para elegir, que no encadene la voluntad antes de haberla asentado en su raíz viva, en el amor perfecto y bien alumbrado, a la luz que le sea propia.» Porque ella creía que no era al suelo, sino al cielo, a lo que había que mirar antes de plantar un retoño; no al mantillo de la tierra, sino a las razas de lumbre que del sol le llegaran, y que crece mejor el arbolito que prende sobre una roca al solano dulce del mediodía que no el que sobre un mantillo vicioso y graso se alza a la umbría. La luz era la pureza.

Fue con Ramirín aprendiendo todo lo que él tenía que aprender, pues le tomaba a diario las lecciones. Y así satisfacía aquella ansia por saber que desde niña le había aquejado y que hizo que su tío le comparase alguna vez con Eva. Y de entre las cosas que aprendió con su sobrino y para enseñárselas, pocas le interesaron más que la geometría. ¡Nunca lo hubiese ella creído! Y es que en aquellas demostraciones de la geometría, ciencia árida y fría al sentir de los más, encontraba Gertrudis un no sabía qué de luminosidad y de pureza. Años después, ya mayor Ramirín, y cuando el polvo que fue la carne de su tía reposaba bajo tierra, sin luz de sol, recordaba el entusiasmo con que un día de radiante primavera le explicaba cómo no puede haber más que cinco y sólo cinco poliedros regulares; tres formados de triángulos: el tetraedro, de cuatro; el octaedro, de ocho, y el icosaedro, de veinte; uno de cuadrados: el cubo, de seis, y uno de pentágonos: el dodecaedro, de doce. «"Pero ¿no ves qué claro?", me decía —contaba el sobrino—; "¿no lo ves?, sólo cinco y no más que cinco, ni uno menos, ni uno más, ¡qué bonito! Y no puede ser de otro modo, tiene que ser así!", y al decirlo me mostraba los cinco modelos en cartulina blanca, blanquísima, que ella misma había construido, con sus santas manos, que eran prodigiosas para toda labor, y parecía como si acabase de descubrir por sí misma la ley de los cinco poliedros regulares..., ¡pobre tía Tula! Y recuerdo que como a uno de aquellos modelos geométricos le cayera una mancha de grasa, hizo otro, porque decía que con la mancha no se veía bien la demostración. Para ella la geometría era luz y pureza.»

En cambio huyó de enseñarle anatomía y fisiología. «Ésas son porquerías —decía— y en que nada se sabe de cierto ni de claro.»

Y lo que sobre todo acechaba era el alborear de la pubertad en su sobrino. Quería guiarle en sus prime-

ros descubrimientos sentimentales y que fuese su
amor primero el último y el único. «Pero ¿es que hay
un primer amor?», se preguntaba a sí misma sin
acertar a responderse.

Lo que más temía eran las soledades de su sobrino.
La soledad, no siendo a toda luz, la temía. Para ella
no había más soledad santa que la del sol y la de la
Virgen de la Soledad cuando se quedó sin su Hijo, el
Sol del Espíritu. «Que no se encierre en su cuarto
—pensaba—, que no esté nunca, a poder ser, solo;
hay soledad que es la peor compañía; que no lea
mucho, sobre todo, que no lea mucho; y que no se
esté mirando grabados.» No temía tanto para su
sobrino a lo vivo cuanto a lo muerto, a lo pintado.
«La muerte viene por lo muerto», pensaba.

Confesábase Gertrudis con el confesor de Ramirín,
y era para, dirigiendo al director del muchacho en la
dirección de éste, ser ella la que de veras le dirigiese.
Y por eso en sus confesiones hablaba más que de sí
misma de su hijo mayor, como le llamaba. «Pero es,
señora, que usted viene aquí a confesar sus pecados y
no los de otros», le tuvo que decir alguna vez el padre
Álvarez, a lo que ella contestó: «Y si ese chico es mi
pecado...»

Cuando una vez creyó observar en el muchacho
inclinaciones ascéticas, acaso místicas, acudió alar-
mada al padre Álvarez.

—¡Eso no puede ser, padre!

—Y si Dios le llamase por ese camino...

—No, no le llama por ahí; lo sé, lo sé mejor que
usted y desde luego mejor que él mismo; eso es... la
sensualidad que se le despierta...

—Pero, señora...

—Sí, anda triste, y la tristeza no es señal de
vocación religiosa. ¡Y remordimiento no puede ser!
¿De qué...?

—Los juicios de Dios, señora...

—Los juicios de Dios son claros. Y esto es oscuro.

Quítele eso de la cabeza. ¡Él ha nacido para padre y
yo para abuela!

—¡Ya salió aquello!

—Sí, ya salió aquello!

—¡Y cómo le pesa a usted eso! Líbrese de ese
peso... Me ha dicho cien veces que había ahogado ese
mal pensamiento...

—¡No puedo, padre, no puedo! Que ellos, que mis
hijos —porque son mis hijos, mis verdaderos hijos—,
que ellos no lo sepan, que no lo sepan, padre, que no
lo adivinen...

—Cálmese, señora, por Dios, cálmese... y deseche
esas aprensiones..., esas tentaciones del Demonio, se
lo he dicho cien veces... Sea lo que es..., la tía Tula
que todos conocemos y veneramos y admiramos...; sí,
admiramos...

—¡No, padre, no! ¡Usted lo sabe! Por dentro soy
otra...

—Pero hay que ocultarlo...

—Sí, hay que ocultarlo, sí; pero hay días en que
siento ganas de reunir a sus hijos, a mis hijos...

—¡Sí, suyos, de usted!

—¡Sí, yo madre, como usted... padre!

—Deje eso, señora, deje eso...

—Sí, reunirles y decirles que toda mi vida ha sido
una mentira, una equivocación, un fracaso...

—Usted se calumnia, señora. Ésa no es usted,
usted es la otra..., la que todos conocemos..., la tía
Tula...

—Yo le hice desgraciado, padre; yo le hice caer dos
veces: una con mi hermana, otra vez con otra...

—¿Caer?

—¡Caer, sí! ¡Y fue por soberbia!

—No, fue por amor, por verdadero amor...

—Por amor propio, padre —y estalló a llorar.

XX

Logró sacar a su sobrino de aquellas veleidades ascéticas y se puso a vigilarle, a espiar la aparición del primer amor. «Fíjate bien, hijo —le decía—, y no te precipites, que una vez que hayas comprometido a una no debes dejarla...»

—Pero, mamá, si no se trata de compromisos... Primero hay que probar...

—No, nada de pruebas; nada de esos noviazgos; nada de eso de «hablo con Fulana». Todo seriamente...

En rigor la tía Tula había ya hecho, por su parte, su elección y se proponía ir llevando dulcemente a su Ramirín a aquella que le había escogido, a Caridad.

—Parece que te fijas en Carita —le dijo un día.

—¡Pse!

—Y ella en ti, si no me equivoco.

—Y tú en los dos, a lo que parece...

—¿Yo? Eso es cosa vuestra, hijo mío, cosa vuestra...

Pero les fue llevando el uno al otro, y consiguió su propósito. Y luego se propuso casarlos cuanto antes. «Y que venga acá —decía— y viviremos todos juntos, que hay sitio para todos... ¡Una hija más!»

Y cuando hubo llevado a Carita a su casa, como mujer de su sobrino, era con ésta con la que tenía sus confidencias. Y era de quien trataba de sonsacar lo íntimo de su sobrino.

Le obligó, ya desde un principio, a que le tutease y le llamase madre. Y le recomendaba que cuidase sobre todo de la pequeñita, de la mansa, tranquila y medrosica Manolita.

—Mira, Caridad —le decía—, cuida sobre todo de esa pobrecita, que es lo más inocente y lo más quebradizo que hay y buena como el pan... Es mi obra...

—Pero si la pobrecita apenas levanta la voz..., si ni se le siente andar por la casa... Parece como que tuviera vergüenza hasta de presentarse...

—Sí, sí, es así... Harto he hecho por infundirle valor, pero en no estando arrimada a mí, cosida a mi falda, la pobrecita se encuentra como perdida. ¡Claro, como criada con biberón!

—El caso es que es laboriosa, obediente, servicial, pero ¡habla tan poco...! ¡Y luego no se la oye reír nunca...!

—Sólo alguna vez, cuando está a solas conmigo, porque entonces es otra cosa, es otra Manolita..., entonces resucita... Y trato de animarla, de consolarla, y me dice: «No te canses, mamita, que yo soy así..., y además, no estoy triste...»

—Pues lo parece...

—Lo parece, sí, pero he llegado a creer que no lo está. Porque yo, yo misma, ¿qué te parezco, Carita, triste o alegre?

—Usted, tía...

—¿Qué es eso de usted y de tía?

—Bueno, tú, mamá, tú..., pues no sé si eres triste o alegre, pero a mí me pareces alegre...

—¿Te parezco así? ¡Pues basta!

—Por lo menos a mí me alegras...

—Y es lo que nos mandas Dios a este mundo, a alegrar a los demás.

—Pero para alegrar a los demás hay que estar alegre una...

—O no...

—¿Cómo no?

—Nada alegra más que un rayo de sol, sobre todo si da sobre la verdura del follaje de un árbol, y el rayo de sol no está ni alegre ni triste, y quién sabe..., acaso su propio fuego le consume... El rayo de sol alegra porque está limpio; todo lo limpio alegra... Y esa pobre Manolita debe alegrarte, porque a limpia...

—¡Sí, eso sí! Y luego esos ojos que tiene, que parecen...

—Parecen dos estanques quietos entre verdura... Los he estado mirando muchas veces y desde cerca. Y no sé de dónde ha sacado esos ojos... No son de su madre, que tenía ojos de tísica, turbios de fiebre... ni son los de su padre, que eran...

—¿Sabes de quién parecen esos ojos?

—¿De quién? —y Gertrudis temblaba al preguntarlo.

—¡Pues son tus ojos...!

—Puede ser..., puede ser... No me los he mirado nunca de cerca ni puedo vérmelos desde dentro, pero puede ser..., puede ser... Al menos le he enseñado a mirar...

XXI

¿Qué le pasaba a la pobre Gertrudis que se sentía derretir por dentro? Sin duda había cumplido su misión en el mundo. Dejaba a su sobrino mayor, a su Ramiro, a su otro Ramiro, a cubierto de la peor tormenta, embarcado en su barca de por vida, y a los otros hijos al amparo de él; dejaba un hogar encendido y quien cuidase de su fuego. Y se sentía deshacer. Sufría frecuentes embaimientos, desmayos, y durante días enteros lo veía todo como en niebla, como si fuese bruma y humo todo. Y soñaba; soñaba como nunca había soñado. Soñaba lo que habría sido si Ramiro hubiese dejado por ella a Rosa. Y acababa diciéndose que no habrían sido de otro modo las cosas. Pero ella había pasado por el mundo fuera del mundo. El padre Álvarez creía que la pobre Gertrudis chocheaba antes de tiempo, que su robusta inteligencia flaqueaba y que flaqueaba el peso mismo de su robustez. Y tenía que defenderla de aquellas sus viejas tentaciones.

Cuando un día se le acercó Caridad y, al oído, le dijo: «¡Madre...!», al notarle el rubor que le encendía el rostro, exclamó: «¿Qué? ¿Ya?» «¡Sí, ya!», susurró la muchacha. «¿Estás segura?» «¡Segura; si no, no te lo habría dicho!» Y Gertrudis, en medio de su goce, sintió como si una espada de hielo le atravesase por medio el corazón. Ya no tenía que hacer en el mundo más que esperar al nieto, al nieto de los suyos, de su

Ramiro y su Rosa, a su nieto, e ir luego a darles la buena nueva. Ya apenas se cuidaba más que de Caridad, que era quien para ella llenaba la casa. Hasta de Manolita, de su obra, se iba descuidando, y la pobre niña lo sentía; sentía que el esperado iba relegándole en la sombra.

—Ven acá —le decía Gertrudis a Caridad, cuando alguna vez se encontraban a solas, ocasión que acechaba—, ven acá, siéntate aquí, a mi lado... ¿Qué, le sientes, hija mía, le sientes?

—Algunas veces...

—¿No llama? ¿No tiene prisa por salir a luz, a la luz del sol? Porque ahí dentro, a oscuras..., aunque esté ello tan tibio, tan sosegado... ¿No da empujoncitos? Si tarda no me va a ver..., no le voy a ver... Es decir: ¡si tarda, no!, si me apresuro yo...

—Pero, madre, no diga esas cosas...

—¡*No digas,* hija! Pero me siento derretir..., ya no soy para nada... Veo todo como empañado..., como en sueños... Si no lo supiera no podría ahora decir si tu pelo es rubio o moreno...

Y le acariciaba lentamente la espléndida cabellera rubia. Y como si viese con los dedos, añadía: «Rubia, rubia como el sol...»

—Si es chico, ya lo sabes, Ramiro, y si es chica..., Rosa...

—No, madre, sino Gertrudis... Tula, mamá Tula.

—¡Tula..., bueno...! Y mejor si fuese una pareja, mellizos, pero chico y chica...

—¡Por Dios, madre!

—¿Qué? ¿Crees que no podrías con eso? ¿Te parece demasiado trabajo?

—Yo... no sé..., no sé nada de eso, madre; pero...

—Sí, eso es lo perfecto, una parejita de gemelos..., un chico y una chica que han estado abrazaditos cuando no sabían nada del mundo, cuando no sabían ni que existían; que han estado abrazaditos al calorcito del vientre materno... Algo así debe de ser el cielo...

—¡Qué cosas se te ocurren, mamá Tula!

—No ves que me he pasado la vida soñando...

Y en esto, mientras soñaba así y como para guardar en su pecho este último ensueño y llevarlo como viático al seno de la madre tierra, la pobre Manolita cayó gravemente enferma. «¡Ah, yo tengo la culpa —se dijo Gertrudis—, yo, que con esto de la parejita de mi ensueño me he descuidado de esa pobre avecilla...! Sin duda en un momento en que necesitaba de mi arrimo ha debido de coger algún frío...» Y sintió que le volvían las fuerzas, unas fuerzas como de milagro. Se le despejó la cabeza y se dispuso a cuidar a la enferma.

—Pero, madre —le decía Caridad—, déjeme que le cuide yo, que le cuidemos nosotras... Entre yo, Rosita y Elvira le cuidaremos.

—No; tú no puedes cuidarla como es debido, no debes cuidarla... Tú te debes al que llevas, a lo que llevas, y no es cosa de que por atender a ésta malogres lo otro... Y en cuanto a Rosita y Elvira, sí, son sus hermanas, la quieren como tales, pero no entienden de eso, y además la pobre, aunque se aviene a todo, no se halla sin mí... Un simple vaso de agua que yo le sirva le hace más provecho que todo lo que los demás le podáis hacer. Yo sola sé arreglarle la almohada de modo que no le duela en ella la cabeza y que no tenga luego pesadillas...

—Sí, es verdad...

—¡Claro, yo la crié...! Y yo debo cuidarle.

Resucitó. Volvióle todo el luminoso y fuerte aplomo de sus días más heroicos. Ya no le temblaba el pulso ni le vacilaban las piernas. Y cuando teniendo el vaso con la pócima medicinal que a las veces tenía que darle, la pobre enferma le posaba las manos febriles en sus manos firmes y finas, pasaba sobre su enlace como el resplandor de un dulce recuerdo, casi

borrado para la encamada. Y luego se sentaba la tía
Tula junto a la cama de la enferma y se estaba allí, y
ésta no hacía sino mirarle en silencio.

—¿Me moriré, mamita? —preguntaba la niña.

—¿Morirte? ¡No, pobrecita alondra, no! Tú tienes
que vivir...

—Mientras tú vivas...

—Y después..., y después...

—Después... no..., ¿para qué...?

—Pero las muchachas deben vivir...

—¿Para qué...?

—Pues... para vivir..., para casarse..., para criar
familia...

—Pues tú no te casaste, mamita...

—No, yo no me casé; pero como si me hubiese
casado... Y tú tienes que vivir para cuidar de tu
hermano...

—Es verdad..., de mi hermano..., de mis hermanos...

—Sí, de todos ellos...

—Pero si dicen, mamita, que yo no sirvo para
nada...

—¿Y quién dice eso, hija mía?

—No, no lo dicen..., no lo dicen..., pero lo piensan...

—¿Y cómo sabes tú que lo piensan?

—¡Pues... porque lo sé! Y además, porque es
verdad..., porque yo no sirvo para nada, y después de
que tú te me mueras yo nada tengo que hacer aquí...
Si tú te murieras me moriría de frío...

—Vamos, vamos, arrópate bien y no digas esas
cosas... Y voy a arreglarte esa medicina...

Y fue a ocultar sus lágrimas y a echarse a los pies
de su imagen de la Virgen de la Soledad y a suplicar-
la: «¡Mi vida por la suya, Madre, mi vida por la suya!
Siente que yo me voy, que me llaman mis muertos, y
quiere irse conmigo; quiere arrimarse a mí, arropada
por la tierra, allí abajo, donde no llega la luz, y que

yo le preste no sé qué calor... ¡Mi vida por la suya,
Madre, mi vida por la suya! Que no caiga tan pronto
esa cortina de tierra de las tinieblas sobre esos ojos en
que la luz no se quiebra, sobre esos ojos que dicen
que son los míos, sobre esos ojos sin mancha que le di
yo..., sí, yo... Que no se muera..., que no se muera...
Sálvala, Madre, aunque tenga yo que irme sin ver al
que ha de venir...»

Y se cumplió su ruego.

La pobre niña enferma fue recobrando vida; vol-
vieron los colores de rosa a sus mejillas; volvió a
mirar la luz del sol dando en el verdor de los árboles
del jardincito de la casa, pero la tía Tula cayó con
una bronconeumonía cogida durante la convalecen-
cia de Manolita. Y entonces fue ésta la que sintió que
brotaba en sus entrañas un manadero de salud, pues
tenía que cuidar a la que le había dado vida.

Toda la casa vio con asombro la revelación de
aquella niña.

—Di a Manolita —decía Gertrudis a Caridad—
que no se afane tanto, que aún estará débil... Tú
tampoco, por supuesto; tú te debes a los tuyos, ya lo
sabes... Con Rosita y Elvira basta... Además, como
todo ha de ser inútil... Porque yo ya he cumplido...

—Pero, madre...

—Nada, lo dicho, y que esa palomita de Dios no se
malgaste...

—Pero si se ha puesto tan fuerte... Jamás hubiese
creído...

—Y ella que se quería morir y creía morirse... Y yo
también lo temí... ¡Porque la pobre me parecía tan
débil...! Claro, no conoció a su padre, que estaba ya
herido de muerte cuando la engendró..., y en cuanto
a su pobre madre, yo creo que siempre vivió medio
muerta... ¡Pero esa chica ha resucitado!

—¡Sí, al verte en peligro ha resucitado!

—¡Claro, es mi hija!

—¿Más?

—¡Sí, más! Te lo quiero declarar ahora que estoy en el zaguán de la eternidad; sí, más. ¡Ella y tú!

—¿Ella y yo?

—¡Sí, ella y tú! Y porque no tenéis mi sangre. Ella y tú. Ella tiene la sangre de Ramiro, no la mía, pero la he hecho yo, ¡es obra mía! Y a ti yo te casé con mi hijo...

—Lo sé...

—Sí, como le casé a su padre con su madre, con mi hermana, y luego le volví a casar con la madre de Manolita...

—Lo sé..., lo sé...

—Sé que lo sabes, pero no todo...

—No, todo no...

—Ni yo tampoco... O al menos no quiero saberlo. Quiero irme de este mundo sin saber muchas cosas... Porque hay cosas que el saberlas mancha. Eso es el pecado original, y la Santísima Virgen Madre nació sin mancha de pecado original...

—Pues yo he oído decir que lo sabía todo...

—No, no lo sabía todo; no conocía la ciencia del mal... que es ciencia...

—Bueno, no hables tanto, madre, que te perjudica...

—Más me perjudica cavilar, y si me callo cavilo..., cavilo...

XXII

La tía Tula no podía ya más con su cuerpo. El alma le revoloteaba dentro de él, como un pájaro en una jaula que se desvencija, a la que deja con el dolor de quien le desollaran, pero ansiando volar por encima de las nubes. No llegaría a ver al nieto. ¿Lo sentía? «Allá arriba, estando con ellos —soñaba—, sabré cómo es, y si es niño o niña... o los dos..., y lo sabré mejor que aquí, pues desde allí arriba se ve mejor y más limpio lo de aquí abajo.»

La última fiebre teníala postrada en cama. Apenas si distinguía a sus sobrinos más que por el paso, sobre todo a Caridad y a Manolita. El paso de aquélla, de Caridad, llegábale como el de una criatura cargada de fruto y hasta le parecía oler a sazón de madurez. Y el de Manolita era tan leve como el de un pajarito que no se sabe si corre o vuela a ras de tierra. «Cuando ella entra —se decía la tía—, siento rumor de alas caídas y quietas.»

Quiso despedirse primero de ésta, a solas, y aprovechó un momento en que vino a traerle la medicina. Sacó el brazo de la cama, lo alargó como para bendecirla, y poniéndole la mano sobre la cabeza, que ella inclinó con los claros ojos empañados, le dijo:

—¿Qué, palomita sin hiel, quieres todavía morirte...? ¡La verdad!

—Si con ello consiguiera...

—Que yo no me muera, ¿eh? No, no debes querer morirte... Tienes a tu hermano, a tus hermanos... Estuviste cerca de ello, pero me parece que la prueba te curó de esas cosas... ¿No es así? Dímelo como en confesión, que voy a contárselo a los nuestros...

—Sí, ya no se me ocurren aquellas tonterías...

—¿Tonterías? No, no eran tonterías. ¡Ah!, y ahora que dices eso de tonterías, tráeme tu muñeca, porque la guardas, ¿no es así? Sí, sé que la guardas... Tráeme aquella muñeca, ¿sabes? Quiero despedirme de ella también y que se despida de mí... ¿Te acuerdas? Vamos, ¿a que no te acuerdas?

—Sí, madre, me acuerdo.

—¿De qué te acuerdas?

—De cuando se me cayó en aquel patín de la huerta y Elvira me llamaba tonta porque lloraba tanto y me decía que de nada sirve llorar...

—Eso..., eso..., ¿y qué más? ¿Te acuerdas de más?

—Sí, del cuento que nos contaste entonces...

—A ver, ¿qué cuento?

—De la niña que se le cayó la muñeca en un pozo seco adonde no podía bajar a sacarla, y se puso a llorar, a llorar, a llorar, y lloró tanto que se llenó el pozo con sus lágrimas y salió flotantio en ellas la muñeca...

—¿Y qué dijo Elvirita a eso? ¿Qué dijo? Que no me acuerdo...

—Sí, sí se acuerda, madre...

—Bueno, ¿pues qué dijo?

—Dijo que la niña se quedaría seca y muerta de haber llorado tanto...

—¿Y yo qué dije?

—Por Dios, madre...

—Bueno, no lo digas, pero no llores así, palomita, no llores así..., que por mucho que llores no se llenará con tus lágrimas el pozo en que voy cayendo y no saldré flotando.

—Si pudiera ser...

—¡Ah, sí! Si pudiera ser yo saldría a cogerte y llevarte conmigo... Pero hay que esperar la hora. Y cuida de tus hermanos. Te los entrego a ti, ¿sabes?, a ti. Haz que no se den cuenta de que me he muerto.

—Haré todo lo que pueda...

—Y yo te ayudaré desde arriba. Que no se enteren de que me he muerto...

—Te rezaré, madre...

—A la Virgen, hija, a la Virgen...

—Te rezaré, madre, todas las noches antes de acostarme...

—Bueno, no llores así...

—Pero si no lloro, ¿no ves que no lloro?

—Para lavar los ojos cuando han visto cosas feas no está mal; pero tú no has visto cosas feas, no puedes verlas...

—Y si es caso, cerrando los ojos...

—No, no, así se ven cosas más feas. Y pide por tu padre, por tu madre, por mí.. No olvides a tu madre...

—Si no la olvido...

—Como no la conociste...

—¡Sí, la conozco!

—Pero a la otra, digo, a la que te trajo al mundo.

—¡Sí, gracias a ti la conozco; a aquélla!

—¡Pobrecilla! Ella no había conocido a la suya...

—¡Su madre fuiste tú, lo sé bien!

—Bueno, pero no llores...

—¡Si no lloro! —y se enjugaba los ojos con el dorso de la mano izquierda mientras con la otra, temblorosa, sostenía el vaso de la medicina.

—Bueno, y ahora trae a la muñeca, que quiero verla. ¡Ah! ¡Y allí, en un rincón de aquella arquita mía que tú sabes..., ahí está la llave..., sí, ésa, ésa!... Allí donde nadie ha tocado más que yo, y tú alguna vez; allí, junto a aquellos retratos, ¿sabes?, hay otra muñeca..., la mía..., la que yo tenía siendo niña..., mi primer cariño..., ¿el primero?..., ¡bueno! Tráemela también... Pero que no se entere ninguna de ésas, no digan que son tonterías nuestras, porque las tontas somos nosotras... Tráeme las dos muñecas, que me despida de ellas, y luego nos pondremos serias para despedirnos de los otros... Vete, que me viene un mal pensamiento —y se santiguó.

El mal pensamiento era que el susurro diabólico allá, en el fondo de las entrañas doloridas con el dolor de la partida, le decía: «¡Muñecos todos!»

XXIII

Luego llamó a todos, y Caridad entre ellos.

—Esto es, hijos míos, la última fiebre, el principio del fuego del Purgatorio...

—Pero qué cosas dices, mamá...

—Sí; el fuego del Purgatorio, porque en el Infierno no hay fuego..., el Infierno es de hielo y nada más que de hielo. Se me está quemando la carne... Y lo que siento es irme sin ver, sin conocer, al que ha de llegar..., o a la que ha de llegar..., o a los que han de llegar...

—Vamos, mamá...

—Bueno, tú, Cari, cállate y no nos vengas ahora con vergüenza... Porque yo querría contarles todo a los que me llaman... Vamos, no lloréis así... Allí están... los tres...

—Pero no digas esas cosas...

—¡Ah!, ¿queréis que os diga cosas de reír? Las tonterías ya nos las hemos dicho Manolita y yo, las dos tontas de la casa, y ahora hay que hacer esto como se hace en los libros...

—Bueno, ¡no hables tanto! El médico ha dicho que no se te deje hablar mucho.

—¿Ya estás ahí tú, Ramiro? ¡El hombre! ¿El médico, dices? ¿Y qué sabe el médico? No le hagáis caso... Y además es mejor vivir una hora hablando que dos días más en silencio. Ahora es cuando hay que hablar. Además, así me distraigo y no pienso en mis cosas...

—Pues ya sabes que el padre Álvarez te ha dicho que pienses ahora en tus cosas...

—¡Ah!, ¿ya estás ahí tú, Elvira, la juiciosa? Conque el padre Álvarez, ¿eh?..., el del remedio... ¿Y qué sabe el padre Álvarez? ¡Otro médico! ¡Otro hombre! Además, yo no tengo cosas mías en qué pensar..., yo no tengo mis cosas... Mis cosas son las vuestras... y las de ellos..., las de los que me llaman... Yo no estoy ni viva ni muerta..., no he estado nunca ni viva ni muerta... ¿Qué? ¿Qué dices tú ahí, Enriquín? Que estoy delirando...

—No, no digo eso...

—Sí, has dicho eso, te lo he oído bien..., se lo has dicho al oído a Rosita... No ves que siento hasta el roce en el aire de las alas quietas de Manolita. Pues si deliro..., ¿qué?

—Que debes descansar...

—Descansar..., descansar..., ¡tiempo me queda para descansar!

—Pero no te destapes así...

—Si es que me abraso.. Y ya sabes, Caridad, Tula, Tula como yo..., y él, el otro, Ramiro... Sí, son dos, él y ella, que estarán ahora abrazaditos... al calorcito.

Callaron todos un momento. Y al oír la moribunda sollozos entrecortados y contenidos, añadió:

—Bueno, ¡hay que tener ánimo! Pensad bien, bien, muy bien, lo que hayáis de hacer, pensadlo muy bien..., que nunca tengáis que arrepentiros de haber hecho algo y menos de no haberlo hecho... Y si veis que el que queréis se ha caído en una laguna de fango y aunque sea en un pozo negro, en un albañal, echaos a salvarle, aun a riesgo de ahogaros, echaos a salvarle..., que no se ahogue él allí... o ahogaos juntos... en el albañal... Servidle de remedio..., sí, de remedio... ¿Que morís entre légamo y porquería?, no importa... Y no podréis ir a salvar al compañero volando sobre

el ras del albañal porque no tenemos alas..., no, no
tenemos alas... o son alas de gallina, de no volar..., y
hasta las alas se mancharían con el fango que salpica
el que se ahoga en él... No, no tenemos alas..., a lo
más de gallina...; no somos ángeles..., lo seremos en
la otra vida... ¡donde no hay fango... ni sangre...
Fango hay en el Purgatorio, fango ardiente, que
quema y limpia..., fango que limpia, sí... En el
Purgatorio les queman a los que no quisieron lavarse
con fango..., sí, con fango... Les queman con estiércol
ardiente..., les lavan con porquería... Es lo último que
os digo, no tengáis miedo a la podredumbre... Rogad
por mí, y que la Virgen me perdone.

Le dio un desmayo. Al volver de él no coordinaba
los pensamientos. Entró luego en una agonía dulce.
Y se apagó como se apaga una tarde de otoño
cuando las últimas razas del sol, filtradas por nubes
sangrientas, se derriten en las aguas serenas de un
remanso del río en que se reflejan los álamos —san-
guíneo su follaje también— que velan a sus orillas.

XXIV

¿Murió la tía Tula? No, sino que empezó a vivir en la familia, e irradiando de ella, con una nueva vida más entrañada y más vivífica, con la vida eterna de la familiaridad inmortal. Ahora era ya para sus hijos, sus sobrinos, la Tía, no más que la Tía, ni *madre* ya ni *mamá,* ni aun tía Tula, sino sólo la Tía. Fue este nombre de invocación, de verdadera invocación religiosa, como el canonizamiento doméstico de una santidad de hogar. La misma Manolita, su más hija y la más heredera de su espíritu, la depositaria de su tradición, no le llamaba sino la Tía.

Mantenía la unidad y la unión de la familia, y si al morir ella afloraron a la vista de todos, haciéndose patentes, divisiones intestinas antes ocultas, alianzas defensivas y ofensivas entre los hermanos, fue porque esas divisiones brotaban de la vida misma familiar que ella creó. Su espíritu provocó tales disensiones y bajo de ellas y sobre ellas la unidad fundamental y culminante de la familia. La tía Tula era el cimiento y la techumbre de aquel hogar.

Formáronse en éste dos grupos: de un lado, Rosita, la hija mayor de Rosa, aliada con Caridad, con su cuñada, y no con su hermano, no con Ramiro; de otro, Elvira, la segunda hija de Rosa, con Enrique, su hermanastro, el hijo de la hospiciana, y quedaban fuera Ramiro y Manolita. Ramiro vivía, o más bien se dejaba vivir, atento a su hijo y al porvenir que podía depararle otros y a sus negocios civiles, y Manolita, atenta a mantener el culto de la Tía y la tradición del hogar.

Manolita se preparaba a ser el posible lazo entre cuatro probables familias venideras. Desde la muerte de la Tía habíase revelado. Guardaba todo su saber, todo su espíritu; las mismas frases recortadas y aceradas, a las veces repetición de las que oyó a la otra, la misma doctrina, el mismo estilo y hasta el mismo gesto. «¡Otra tía!», exclamaban sus hermanos, y no siempre llevándoselo a bien. Ella guardaba el archivo y el tesoro de la otra; ella tenía la llave de los cajoncitos secretos de la que se fue en carne y sangre; ella guardaba, con su muñeca de cuando niña, la muñeca de la niñez de la Tía, y algunas cartas, y el devocionario y el breviario de don Primitivo; ella era en la familia quien sabía los dichos y hechos de los antepasados dentro de la memoria: de don Primitivo, que nada era de su sangre; de la madre del primer Ramiro; de Rosa; de su propia madre Manuela, la hospiciana —de ésta no dichos ni hechos, sino silencios y pasiones—, ella era la historia doméstica; por ella se continuaba la eternidad espiritual de la familia. Ella heredó el alma de ésta, espiritualizada en la Tía.

¿Herencia? Se trasmite por herencia en una colmena el espíritu de las abejas, la tradición abejil, el arte de la melificación y de la fábrica del panal, la *abejidad,* y no se trasmite, sin embargo, por carne y por jugos de ella. La carnalidad se perpetúa por zánganos y por reinas, y ni los zánganos ni las reinas trabajaron nunca, no supieron ni fabricar panales, ni hacer miel, ni cuidar larvas, y no sabiéndolo, no pudieron trasmitir ese saber, con su carne y sus jugos, a sus crías. La tradición del arte de las abejas, de la fábrica del panal y el laboreo de la miel y la cera, es, pues, colateral y no de trasmisión de carne, sino de espíritu, y débese a las tías, a las abejas que ni

fecundan huevecillos ni los ponen. Y todo esto lo
sabía Manolita, a quien se lo había enseñado la Tía,
que desde muy joven paró su atención en la vida de
las abejas y la estudió y meditó, y hasta soñó sobre
ella. Y una de las frases de íntimo sentido, casi
esotérico, que aprendió Manolita de la Tía y que de
vez en cuando aplicaba a sus hermanos, cuando
dejaban muy al desnudo su masculinidad de instintos, era decirles: «¡Cállate, zángano!» Y zángano
tenía para ella, como lo había tenido para la Tía, un
sentido de largas y profundas resonancias. Sentido
que sus hermanos adivinaban.

La alianza entre Elvira, la hija del primer Ramiro
que le costó la vida a Rosa, su primera mujer, y
Enrique, el hijo del pecado de aquél y de la hospiciana, era muy estrecha. Queríanse los hermanastros
más que cualesquiera otros de los cinco entre sí.
Siempre andaban en cuchicheos y en secreteos. Y ésta
a modo de conjura desasosegábale a Manolita. No
que le doliera que su hermano uterino, el salido del
mismo vientre de donde ella salió, tuviese más apego
a hermana nacida de otra madre, no; sentía que a ella
no había de apegársele ninguno de sus hermanos y
complacíase en ello. Pero aquel afecto más que
fraternal le era repulsivo.

—Ya estoy deseando —les dijo una vez— que uno
de vosotros se enamore; que tú, Enrique, te eches
novia, o que a ésta, a ti, Elvira, te pretenda alguno...

—¿Y para qué? —preguntó ésta.

—Para que dejéis de andar así, de bracete por la
casa, y con cuentecitos al oído y carantoñas, arruma-
cos y lagoterías...

—Acaso entonces más... —dijo Enrique.

—¿Y cómo así?

—Porque ésta vendrá a contarme los secretos de su
novio, ¿verdad, Elvira?, y yo le contaré, ¡claro está!,
los de mi novia...

—Sí, sí... —exclamó Elvira a punto de palmotear.

—Y os reiréis uno y otro del otro novio y de la otra novia, ¿no es así?..., ¡qué bonito!

—Bueno, ¿y qué diría a esto la Tía? —preguntó Elvira mirándole a Manolita a los ojos.

—Diría que no se debe jugar con las cosas santas y que sois unos chiquillos...

—Pues no repitas con la Tía —le arguyó Enrique— aquello del Evangelio de que hay que hacerse niño para entrar en el reino de los cielos...

—¡Niño, sí! ¡Chiquillo, no!

—¿Y en qué se le distingue al niño del chiquillo...?

—¿En qué? En la manera de jugar.

—¿Cómo juega el chiquillo?

—El chiquillo juega a persona mayor. Los niños no son, como los mayores, ni hombres ni mujeres, sino que son como los ángeles. Recuerdo haberle oído decir a la Tía que había oído que hay lenguas en que el niño no es ni masculino ni femenino, sino neutro..

—Sí —añadió Enrique—, en alemán. Y la señorita es neutro...

—Pues esta señorita —dijo Manolita intentando, sin conseguirlo, teñir de una sonrisa estas palabras— no es neutra...

—¡Claro que no soy neutra; pues no faltaba más...!

—Pero ¡bueno, nada de chiquilladas!

—Chiquilladas, no; niñerías, eso, ¿no es eso?

—¡Eso es!

—Bueno, ¿y en qué las conoceremos?

—Basta, que no quiero deciros más. ¿Para qué? Porque hay cosas que al tratar de decirlas se ponen más oscuras...

—Bien, bien, tiíta —exclamó Elvira abrazándola y dándole un beso—, no te enfades así... ¿Verdad que no te enfadas, tiíta...?

—No; y menos porque me llames tiíta...

—Si lo hacía sin intención...

—Lo sé; pero eso es lo peligroso. Porque la intención viene después...

Enrique le hizo una carantoña a su hermana completa y cogiendo a la otra, a la hermanastra, por debajo de un brazo, se la llevó consigo.

Y Manolita, viéndoles alejarse, quedó diciéndose: «¿Chiquillos? ¡En efecto, chiquillos! Pero ¿he hecho bien en decirles lo que les he dicho? ¿He hecho bien, Tía? —e invocaba mentalmente a la Tía—. La intención viene después... ¿No soy yo la que con mis reconvenciones voy a darles una intención que les falta? Pero, ¡no, no! ¡Que no jueguen así! ¡Porque están jugando...! ¡Y ojalá les salga pronto el novio a ella y la novia a él!»

XXV

El otro grupo lo formaban en la familia, no Rosita y Ramiro, sino la mujer de éste, Caridad, y aquella su cuñada. Aunque en rigor era Rosita la que buscaba a Caridad y le llevaba sus quejas, sus aprensiones, sus suspicacias. Porque iba, por lo común, a quejarse. Creíase, o al menos aparentaba creer, que era la desdeñada y la no comprendida. Poníase triste y como preocupada en espera de que le preguntasen qué era lo que tenía, y como nadie se lo preguntaba sufría con ello. Y menos que los otros hermanos se lo preguntaba Manolita, que se decía: «¡Si tiene algo de verdad y más que gana de mimo y de que nos ocupemos especialmente en ella, ya reventará!» Y la preocupada sufría con ello.

A su cuñada, a Caridad, le iba sobre todo con quejas de su marido; complacíase en acusar a éste, a Ramiro, de egoísta. Y la mujer le oía pacientemente y sin saber qué decirle.

—Yo no sé, Manuela —le decía a ésta Caridad, su cuñada—, qué hacer con Rosa... Siempre me está viniendo con quejas de Ramiro: que si es un orgulloso, que si un egoísta, que si un distraído...

—¡Llévale la hebra y dile que sí!

—Pero ¿cómo? ¿Voy a darle alas?

—No, sino a cortárselas.

—Pues no lo entiendo. Y además, eso no es verdad; ¡Ramiro no es así!...

—Lo sé, lo sé muy bien. Sé que Ramiro podrá tener, como todo hombre, sus defectos...

—Y como toda mujer.

—¡Claro, sí! Pero los de él son defectos de hombre...

—¡De zángano, vamos!

—Como quieras; los de Ramiro son defectos de hombre, o si quieres, pues que te empeñas, de zángano...

—¿Y los míos?

—¿Los tuyos, Caridad? Los tuyos... ¡de reina!

—Muy bien! ¡Ni la Tía...!

—Pero los defectos de Ramiro no son los que Rosa dice. Ni es orgulloso, ni es egoísta, ni es distraído...

—Y entonces ¿por qué voy a llevarle la hebra, como dices?

—Porque eso será llevarle la contraria. Lo sé muy bien. La conozco.

Cierta mañana, encontrándose las tres, Caridad, Manuela y Rosa, comenzó ésta el ataque.

R.—¡Vaya unas horas de llegar anoche tu maridito!

Nunca hablando con su cuñada le llamaba a Ramiro «mi hermano», sino siempre: «tu marido».

C.—¿Y qué mal hay en ello?

M.—Y tú, Rosa, estabas a esas horas despierta...

R.—Me despertó su llegada...

M.—¿Sí, eh?

C.—Pues a mí apenas si me despertó...

R.—¡Vaya una calma!

M.—Aquí Caridad duerme confiada y hace bien.

R.—¿Hace bien...? ¿Hace bien...? No lo comprendo.

M.—Pues yo sí. Pero tú parece que te complaces en eso, que es un juego muy peligroso y muy feo...

C.—¡Por Dios, Manuela!

R.—Déjale, déjale a la tía...

M.—Con el acento que ahora le pones, la tía aquí eres ahora tú...

R.—¿Yo? ¿Yo la tía?

M.—Sí, tú, tú, Rosa. ¿A qué viene querer provocar celos en tu hermana?

C.—Pero si Rosa no quiere hacerme celosa, Manuela.

M.—Yo sé lo que me digo, Caridad.

R.—Sí, aquí ella sabe lo que se dice...

M.—Aquí sabemos todos lo que queremos decir y yo sé, además, lo que me digo, ¿me entiendes, Rosa?

R.—El estribillo de la Tía...

M.—Sea. Y te digo que serías capaz de aceptar el peor novio que se te presente y casarte con él no más que para provocarle a que se te diese celos, no a dárselos tú...

R.—¿Casarme yo? ¿Yo casarme? ¿Yo novio? ¡Las ganas...!

M.—Sí, ya sé que dices, aunque no sé si lo piensas, que no te has de casar, que tú no quieres novio... Ya sé que andas en si te vas o no a meter monja...

C.—¿Y cómo lo has sabido, Manuela?

M.—Ah, ¿pero vosotras creéis que no me percato de vuestros secretos? Precisamente por ser secretos...

R.—Bueno, y si pensara yo en meterme monja, ¿qué? ¿Qué mal hay en ello? ¿Qué mal hay en servir a Dios?

M.—En servir a Dios, no, no hay mal ninguno... Pero es que si tú entrases monja no sería por servir a Dios...

R.—¿No? ¿Pues por qué?

M.—Por no servir a los hombres... ni a las mujeres...

C.—Pero por Dios, Manuela, qué cosas tienes...

R.—Sí, ella tiene sus cosas y yo las mías... ¿Y quién te ha dicho, hermana, que desde el convento no se puede servir a los hombres...?

M.—Sin duda, rezando por ellos...

R.—¡Pues claro está! Pidiendo a Dios que les libre de tentaciones...

M.—Pero me parece que tú más que a rezar «no nos dejes caer en la tentación» vas a «no me dejes caer en la tentación...»

R.—Sí, que voy a que no me tienten...

M.—¿Pues no has venido acá a tentar a Caridad, tu hermana? ¿O es que crees que no era tentación eso? ¿No venías a hacerle caer en tentación?

C.—No, Manuela, no venía a eso. Y además sabe que no soy celosa, que no lo seré, que no puedo serlo...

R.—Déjale, déjale, Caridad, déjale a la abejita, que pique..., que pique...

M.—Duele, ¿eh? Pues hija, rascarse...

R.—*Hija* ahora, ¿eh?

M.—Y siempre, hermana.

R.—Y dime tú, hermanita, la abejita, ¿tú no has pensado nunca en meterte en un panal así, en una colmena...?

M.—Se puede hacer miel y cera en el mundo...

R.—Y picar...

M.—¡Y picar, exacto!

R.—Vamos, sí, que tú, como tía Tula, vas para tía...

M.—Yo no sé para lo que voy, pero si siguiera el ejemplo de la Tía no habría de ir por mal camino. ¿O es que crees que marró ella el suyo? ¿Es que has olvidado sus enseñanzas? ¿Es que trató ella nunca de encismar a los de casa? ¿Es que habría ella nunca denunciado un acto de uno de sus hermanos?

C.—Por Dios, Manuela, por la memoria de tía Tula, cállate ya... Y tú, Rosa, no llores así..., vamos, levanta esa frente..., no te tapes así la cara con las manos..., no llores así, hija, no llores así...

Manuela le puso a su hermanastra la mano sobre el hombro y con una voz que parecía venir del otro mundo, del mundo eterno de la familia inmortal, le dijo:

—¡Perdóname, hermana, me he excedido..., pero tu conducta me ha herido en lo vivo de la familia y he hecho lo que creo que habría hecho la Tía en este caso..., perdónamelo!

Y Rosa, cayendo en sus brazos y ocultando su cabeza entre los pechos de su hermana, le dijo entre sollozos:

—¡Quien tiene que perdonarme eres tú, hermana, tú... Pero hermana... no, sino madre..., ni madre... ¡Tía! ¡Tía!

—¡Es la Tía, la tía Tula, la que tiene que perdonarnos y unirnos y guiarnos a todos! —concluyó Manuela.